JN012836

平成ネット史

永遠のベータ版

NHK『平成ネット史（仮）』取材班

幻冬舎

平成ネット史　永遠のベータ版

はじめに

この本に「ログイン」してくださり、ありがとうございます。

本書は、NHK Eテレで、平成31年（2019年）正月に2夜連続で放送された特別番組『平成ネット史（仮）』と、東京・渋谷と大阪にて開催された、番組派生イベント「平成ネット史（仮）展」をもとに、書籍化にあたり大幅に追加取材を加えたものです。

日本のインターネットは、平成7年（1995年）11月に発売されたマイクロソフトのOS「ウィンドウズ95」の登場をきっかけに、私たちの日常に一気に広がりました。通信環境や回線の通信速度が上がるにつれて、文字、写真、音声、動画を駆使したサービスが生まれ、ネット特有のコミュニケーションやカルチャー、ビジネスが生まれてきました。

そして、平成20年（2008年）7月に発売されたアップルのスマートフォン

「iPhone」によって、インターネット環境は劇的に進化を遂げ、いまも世界を同時に巻き込みながら発展を続けています。

番組のゲストのひとりで、評論家の宇野常寛さんは、取材のとき、「インターネットだけが、平成を語れる」と表現しました。バブル崩壊、リーマンショックなど度重なる経済的な苦境の時代である「平成」と、阪神・淡路、東日本という2度の大震災に見舞われた災害の時代である「平成」にあって、私たちが唯一、明日への夢や将来への希望を抱けた存在が「インターネット」ではなかったか、ということを言い当ててくれました。

そんな平成らしさを象徴する存在である「インターネット」をどう番組にまとめていくか。簡単に語り尽くすことができない膨大な情報をどう整理してお伝えするか。

そこで、番組では、視聴者の皆さんのインターネットにまつわるエピソードや思い出、ご意見を番組ツイッターや番組ホームページなどで募集し、皆さんと一緒に番組を作り上げていくことを心がけました。

それは、私たち制作者と同じく、そしてそれ以上に、皆さんがインターネットの生き証人であり、「自分たちで作り上げてきた」という意識が強いのではないかと感じたからです。そのため、番組タイトルも『平成ネット史（仮）』と（仮）の文字を入れました。皆さんが作ってきたネットの歴史に「完成版はない」「永遠にアップデートし続ける」という意味を込めて、です。

通常「歴史」といえば、私たちの祖先、もしくは、どこかの誰かが、過去に培ったちょっと縁遠いものであるというイメージがあります。

ところが、インターネットの歴史は、話が異なります。インターネットの歴史は現在進行形で動いているものであり、その歴史に自分たちが明らかに関わっています。「歴史上の人物」が過去の人ではなく、現在も生きていて、むしろ現役バリバリでこの世界の先端を走っています。

本書の執筆中も世界では目まぐるしく大きな動きが起きています。新型コロナウイルスの世界的大流行です。この破壊的危機が世界を襲う中、インターネットの世界では、これまで以上にデジタルシフトやオンラインシフトが加速しています。「Ｚｏｏｍ」や「Ｃｌｕｂｈｏｕｓｅ」「フォートナイト」といった新たなサービスやエンタテインメントから、新たなカルチャーやムーブメントが世界同時に起こり始めているのです。

インターネットはまさに、いまを生きている私たちが、作り上げている歴史だといえるのです。

番組収録当日。スタジオに続々と出演者が集まる中、ゲストのひとり、メディアアーティストの落合陽一さんが、さりげなくつぶやいた言葉がありました。

「さあ、歴史上の人物の登場を待ちましょうか」

その人物は、番組にも出演してくださった「平成のインターネット」を象徴する方のひとりです。その「歴史上の人物」からのメッセージで、この本の幕を開けたいと思います。

どうぞ最後までお楽しみください。

NHK『平成ネット史（仮）』取材班を代表して
チーフ・プロデューサー　神原一光

なぜ「平成ネット史」を知るべきなのか？

堀江貴文

「これからインターネット社会とどう付き合っていけばいいでしょうか？」

そう聞かれることも多いのですが、変わっていく世界に合わせて「自分を最適化」し続けていくしかない、と答えています。

あとは、未来のことなんて考えないことです。

そもそも未来のことなんてわからないものなのです。僕だって、いつ何が起こるかなんてわかりません。

新型コロナウイルスが世界中に蔓延して、社会や経済を混乱させるなんて思ってもいませんでしたし、そのあおりを食う形で、東京オリンピック・パラリンピックが延期されるなんて考えもしませんでした。

大切なのは、わからないから「不安がる」のではなくて、「何が起こっても大丈夫」なようにしておくことです。

具体的には「ふだんと違うことをつねにやっておく」ことです。

毎日同じことをルーティンでやるのではなくて、毎日のように違うことをする。全然知らない人、全く別のジャンルの人と会ってみる。それが練習になるわけです。

時代の変化は大きいし、どんな変化が起こるかはわかりません。予測がつかない。予測がつかないから、予測しようとしても無駄なんです。

だから何が起こっても大丈夫なようにしておく。そして、臨機応変にそれに対応すればいいのです。

「フェイスブックに慣れているのでツイッターはしません」「ずっとインスタグラムをやってきたからインスタグラムしかやりません」ではなくて、TikTokが出てきたら触れてみることです。

「新しいSNSが出てきてめんどくせえな……」と思うのではなくて、「おっ、新しいSNSが出てきた！　おもしろい！」というぐあいに「ポジティブ脳」になることが、この変化の大きなインターネット社会を生き抜く上で大切なのです。

「日本」ではなく「世界」が変わった

未来を予測することに意味はありませんが、これまでの軌跡を振り返ってみることには意味があります。

日本でネットが普及し始めてからの30年間、世界はどんどん変化していきました。

たとえばこの30年ほどのインターネットの歴史を振り返ってみると、日本の置かれた立場の変化にも気づきます。

日本が「経済大国」「先進国」といわれたのは、過去の話になりました。

スマートフォンの登場によって一気に「リープフロッグ現象」が起きたからです。リープフロッグ、つまり、カエルがひとつ跳びするように、これまで発展途上国だとか、後進国だといわれていたような国が、スマホが一気に普及したことで、いきなり日本を跳び越えて発展してきたのです。

たとえば中国に行くと、みんなQRの2次元コードや顔認証で決済しています。スーパーやレストランはもちろん、市場や屋台ですら、キャッシュレスが当たり前なのです。アリババなどのECも勢いがあって、11月11日の「独身の日」には7・9兆円にのぼる取扱額があったりする。そうなってくると「日本が変わった」というよりは、日本はあんまり変わっていなくて、「周りが大きく変わった」のかもしれません。

日本はインターネットの世界でちょっと先に進んでいたぶん、スマホが出てきたときに対応できなかった。スマホの直前までは、結構有名なウェブサービスもいっぱいあったのですが、それ以降は他の国の後塵を拝しているのです。

賢者は「歴史」に学ぶ

本書は、これまでの日本インターネット史を総復習しようというものです。ウィンドウズ95の登場から、2ちゃんねる、ニコニコ動画、iモード、iPhoneの到来、mixi、LINE、ツイッター、ユーチューブまで、一気にインターネットの歴史を見ていきます。

また、iモードのことを夏野剛さんに、mixiのことを笠原健治さんに、ツイッターのことを津田大介さんに、LINEのことを舛田淳さんに聞くなど、当事者の生の声もふんだんに盛り込まれています。

「愚者は経験に学び、賢者は歴史に学ぶ」ということわざがあります。

歴史を振り返って懐かしむだけではなく、歴史に学ぶことです。

未来のことなんて考えても意味がない、というのが僕の基本的なスタンスです。ただ、本書によって過去を振り返ることで、これからのインターネット社会を生き抜くヒントが見えてくるかもしれません。

平成ネット史　永遠のベータ版

目★次

Chapter 1 インターネットの夜明け

Chapter 2

Chapter 3

通信速度が上がり「動画」の時代に

（平成13年（2001年）〜平成19年（2007年））

Chapter 6

SNSで世界はどう変わったか

(平成16年(2004年)〜)

Chapter 7

炎上とフェイクの時代

（平成23年（2011年）〜）

＊付録＊

あなただけの！　平成ネット史　永遠のベータ版　年表

平成ネット史を
一緒に振り返る論客たち

堀江貴文

昭和47年（1972年）、福岡県生まれ。実業家。SNS media&consulting株式会社ファウンダー。元ライブドア代表取締役CEO。東京大学在学中の平成8年（1996年）に起業。現在は、ロケットエンジン開発やさまざまな事業のプロデュースなど多岐にわたって活動。会員制コミュニケーションサロン「堀江貴文イノベーション大学校（HIU）」や有料メールマガジン「堀江貴文のブログでは言えない話」も多数の会員を集めている。

落合陽一

昭和62年（1987年）、東京都生まれ。メディアアーティスト。東京大学大学院学際情報学府博士課程修了、博士（学際情報学）、筑波大学准教授、筑波大学デジタルネイチャー推進戦略研究基盤代表、Pixie Dust Technologies, inc. CEO、大阪芸術大学客員教授、デジタルハリウッド大学客員教授、JST CREST xDiversity代表。専門はCG、HCI、VR、視・聴・触覚提示法、デジタルファブリケーション。著書に『魔法の世紀』（PLANETS）、『デジタルネイチャー』（PLANETS）、会員制サロン「落合陽一塾」や有料noteマガジン「落合陽一の見ている風景と考えていること」なども展開中。

宇野常寛
昭和53年（1978年）、青森県生まれ。評論家・批評家、『PLANETS』編集長。著書に『ゼロ年代の想像力』（早川書房）、『リトル・ピープルの時代』（幻冬舎）、『母性のディストピア』（集英社）、『遅いインターネット』（幻冬舎）、石破茂との対談『こんな日本をつくりたい』（太田出版）、『静かなる革命へのブループリント　この国の未来をつくる7つの対話』（河出書房新社）などがある。

ヒャダイン（前山田健一）
昭和55年（1980年）、大阪府生まれ。音楽クリエイター。京都大学を卒業後、平成19年（2007年）に本格的な音楽活動を開始。動画投稿サイト「ニコニコ動画」へ匿名のヒャダインとしてアップした楽曲が話題になり、屈指の再生数とミリオン動画数を記録。一方、本名での作家活動でも、提供曲が2作連続でオリコンチャート1位を獲得。平成22年（2010年）にヒャダイン＝前山田健一であることを公表し、作家とアーティストをクロスオーバーした活動を開始。ヒット曲を量産し続け、アイドル、J-POPからアニソン、ゲーム音楽など、幅広い楽曲提供を行う。タレントとしても、多数のテレビ・ラジオ番組にレギュラー出演中。

眞鍋かをり

昭和55年（1980年）、愛媛県生まれ。タレント。横浜国立大学卒業。学業のかたわら、雑誌のグラビアやテレビで活躍。平成12年（2000年）、東洋紡のサマーキャンペーンガール、〝日テレジェニック〟に選ばれる。バラエティー番組『とりあえずイイ感じ。』『BOON!』やドラマ『涙をふいて』、映画『ウォーターボーイズ』などに出演。ラジオのパーソナリティーやCMでも活躍。また、自身のブログ「眞鍋かをりのここだけの話」が人気を博し、「ブログの女王」と呼ばれた。

森永真弓

昭和51年（1976年）、東京都生まれ。自立心の強すぎる女子高卒業後、千葉大学工学部工業意匠学科へ。通信会社を経て博報堂に入社、現在は博報堂DYメディアパートナーズ メディア環境研究所 上席研究員として、民間企業・自治体におけるデジタルマーケティング、特にマスメディア×ソーシャルメディアコミュニケーションプロデュースを手がける。データ解析やオタク文化に関わるリサーチなども請け負っている。久谷女子というサークルにて同人誌発行、コミックマーケットへの参加などの活動も。WOMマーケティング協議会理事。

池田美優（みちょぱ）

平成10年（1998年）、静岡県生まれ。「みちょぱ」の愛称で、ティーン向けファッション雑誌「Ｐｏｐｔｅｅｎ」のモデルとして14歳でデビューし、平成30年（2018年）卒業。ファッションショーやバラエティー番組などで活躍中。

Chapter 1

インターネットの夜明け

平成元年
（１９８９年）
～
平成９年
（１９９７年）

① ウィンドウズ95の衝撃

インターネット前夜の夢「パソコン通信」

平成が幕を開けたばかりの頃、日本でインターネットを使っている人はごくわずかで、一部の大学や、研究機関に勤める人くらいでした。

当時のパソコンユーザーが利用していたのが、「パソコン通信」です。「パソコン通信」は、世界中が縦横無尽につながるインターネットとは違い、基本ひとつのサーバーを通して会員だけがアクセスできる限られたネットワーク。世界中とはつながっていませんでした。

主な使い道は、掲示板やチャットでの、テキストによる趣味の情報のやり取り。というと、現在のインターネットと変わらないように見えるかもしれませんが、当時はごくごく限られた先駆者だけが集まる、なんとも〝濃密な世界〟でした。こうした世界では、古くからいる人たちによる多少のローカルルールなどはありましたが、ある程度の知識を持っていれば、年齢や性別問わず存在を認めてもらえる空気がありました。

ちなみに、パソコン通信というと、「ニフティサーブ」や「アスキーネット」といった大手サービスが有名ですが、「草の根ＢＢＳ」と呼ばれる個人運営の小規模なコミュニティーも全国各地で作られました。

インターネット利用者は人口の1％以下だった

そんな中、平成7年（１９９５年）に、「インターネット」が日本で初めて注目を浴びる出来事が起こりました。1月17日に起こった、阪神・淡路大震災です。

電話をはじめ、通信手段が失われた被災地で、国内、そして世界へ向けて情報を発信したのが「インターネット」でした。被害地域の地図や避難所一覧など、さまざまな情報を他の地域で得ることができ、ネットの力が広く知られるようになったのです。

この年、ＮＨＫの『クローズアップ現代』でもインターネットを特集し、次のように紹介しました。

「日本ではいま１００万人が、そして、世界１６８か国、７０００万人がインターネットを活用しています」（平成7年〈１９９５年〉11月13日放送『クローズアップ現代〝７０００万人市場をねらえ～ここまできたインターネット～〟』）。

スタジオの中央に置かれたデスクトップパソコンで、国谷裕子キャスターが仰々しく開いてみせたのは、アメリカのホワイトハウスのホームページ。当時は、初めてインターネットを使う人が、まずホワイトハウスやＮＡＳＡのホームページにアクセスしてみるのが、いわば〝お約束〟でした。家にいながら海外の情報が手に入る。いまでは当たり前のことが、当時は画期的だったのです。

とはいえ、この頃の日本のインターネット利用者は「人口の１％以下」とごくわずかでした。しかし、この番組が放送された10日後、この状況が激変するのです……。

インターネットへの〝窓〟を開いた「ウィンドウズ95」

平成7年（１９９５年）11月23日、インターネットが一般のユーザーにも使われるようになる、大きなターニングポイントが訪れます。

「ウィンドウズ95」の発売です。

深夜０時。カウントダウンを経て発売が始まると、ウィンドウズ95をいち早く手にしようと集まった人たちで、全国のパソコンショップはどこも、押すな押すなのお祭り騒ぎになりました。

キャッチコピーは「使いやすさと性能を向上させたコンシューマ向けＯＳ」。

スタートボタンを押すだけで直感的に使え、なんといってもいちばんの魅力が、充実したネットワーク接続機能でした。このおかげで、誰でも簡単にインターネットを楽しめるようになったのです。

いまに比べて当時のパソコンはとても高価でしたが、日本中でインターネットの世界へ飛び込む人が続出しました。このブームを受け、企業や自治体も続々とホームページを開設するようになりました。

平成7年（1995年）は、インターネットへの〝窓〟が開いた、まさに「ネット元年」といえる一年でした。

「チャット」や「Eメール」という〝魔法〟

平成8年（1996年）には、「ヤフー」が日本で検索サービスを開始します。当時は、〃エンタテインメント〃〃ニュース〃など、カテゴリをたどってホームページを探す、「ディレクトリ型」の検索エンジンでした。これにより、ホームページを次々に探して回る「ネットサーフィン」が大流行します。

そんな中、ネット初体験のユーザーが特に衝撃を受けたのが、「チャット」や「Eメール」でした。ネットで知り合った人とテキストで会話をするチャットに、一瞬で文章が送れるEメール。いまでは当たり前のことが、当時はまるで〃魔法〃のようだったのです。

ピンクのクマがメールを配達してくれる「ポストペット」というメールソフトも、女性ユーザーを中心に大流行しました。

「生まれて初めて歴史の転換点にいると思えた」

宇野常寛（**以下、宇野**）　僕がちょうど高校の頃に「ウィンドウズ95」が出たんですよね。

当時は東西の冷戦が終わったばかりで「歴史の終わり」なんて言われたりもしていました。僕もたぶんそれまで、世の中ってこれ以上劇的には変わらないだろうなって思っていたんですよ。このままそのうち景気も良くなると思っていたし、ずっと同じような社会が続いていくんだろうなと漠然と思っていた。

だから生まれて初めて「歴史の転換点」にいるというか、世の中が大きく変わっていくんだと思えたのがインターネットの登場だったんです。

世界の中心はこのまま昭和のものづくり企業と大銀行だと思っていたし、テレビを中心に社会の空気は作られ続けていくと思っていました。

たとえていうなら、クラスの真ん中にいて、飲み会を「石橋貴明」的なノリで仕切るようなやつが世界の中心にいるような世の中が、ずっとずっと続いていくのかなと思っていたのが、インターネットが普及することでだんだんと変わってきた。インターネットがあって初めて、陰キャやオタクといわれる「俺たち側」の人間が世に出られるようになったんです。

② インターネット黎明期の苦労

つながりたいのに　つながれない

「ウィンドウズ95」の登場でインターネットにつなぎやすくなったとはいえ、いろいろな苦労がありました。

光回線もWi-Fiもない時代。パソコンをインターネットにつなぐために使っていたのが「電話回線」です。「ピッポポッパッポッ」とパソコンから接続先にダイヤルし、「ピ〜〜〜ヒョロロロ〜〜〜〜」と部屋中に鳴り響く接続音を聞く。インターネットという夢の国に入場するためには、必ずこの〝儀式〟を経なければなりませんでした。

ちなみに、パソコンを立ち上げてから接続までにかかる時間は、およそ4分。コーヒーを入れる余裕さえありました。

ようやくネットにつながっても、気を抜くことはできません。というのもネットの接続には、ある代償を伴ったのです。

視聴者の皆さんからも「3か月で電話代が10万も飛んだ」「12万ほどの請求が来ても払ってくれた親に圧倒的感謝」という声が寄せられました。

インターネットに接続しているあいだ増え続ける、恐怖の電話代。高額請求される人が続出し、社会問題にまで発展しました。

こうした状況に対しNTTは、夜11時から翌朝8時まで、登録した番号への電話代が定額になる「テレホーダイ」を開始。救世主の登場に、ネットユーザーたちは皆歓喜し、テレホーダイが使える時間帯（通称〝テレホタイム〟）を狙って、夜な夜なネットサーフィンを楽しみました。たとえ睡眠時間を削ってでも、つながりたかったのです。

テレホマン「フライングアタック」

しかし、そこに新たな壁が立ちはだかります。

実は、当時のネット用の電話回線は、つなげられる数に限りがありました。そのため、テレホタイムが始まる夜11時になると電話が殺到し、あっという間に回線が埋まってしまう。そうなると、待てど暮らせど一向につながらないのです。

つながりたいのに、つながれない。そこで、当時のネットユーザーたちは、ある裏技を編み出しました。それが「フライングアタック」です。

「フライングアタック」とは、あえてテレホーダイになる夜11時の数分前から接続し、混雑を回避すること。当時の電話代は3分につき10円ほどでしたが、追加料金を払ってでもつながりたいものだったのです。

ちなみに、この裏技がユーザーたちのあいだで浸透しすぎた結果、数分前からフライングをしてもつながらなくなり、10分前、20分前、30分前……と、接続開始時間がどんどん前倒しになっていったのでした。

③ そもそもインターネットの始まりは？

そもそも、インターネットは、一体どのようにして生まれたのでしょうか？

その起源は、昭和44年（1969年）にアメリカの4つの大学や研究機関をつないだ「ARPANET（アーパネット）」だといわれています。「ARPANET」は、アメリカ国防総省が資金を提供して開発されたネットワークで、当初は「研究成果」などのデータを共有するために使われていました。

堀江貴文（**以下、堀江**）「ARPA」というのは、アメリカ国防総省の高等機関で、いまは「DARPA（Defence Advanced Research Projects Agency）アメリカ国防高等研究計画局」というのですが、その頭文字をとった略で、巨額な研究資金を提供する、技術開発者にとっては、いわば「スポンサー」のような存在です。「ARPA」は、インターネットの原型であるこの「ARPANET」だけじゃなくて、「GPS」を開発したことでも知られていますよね。

その流れを受けて、いまは自動運転車の開発などにも「DARPA」が資金を出して実験していたりします。「軍事に使えるかどうかはわからないけど、とにかく何かに役立つだろう」という研究に、膨大な資金を提供するアメリカの有力なスポンサーなんです。

落合陽一（**以下、落合**）アメリカの国防総省の一部の、先端的な研究に割かれる予算があてられていたんです。国防総省直轄の組織で、表向きは軍からは直接的な干渉を受けない組織になっています。

日本はそういう意味でいうと、先の戦争の反省があって、国防のための予算での応用研究開発を進めてこなかった。現在はある程度解禁されているのですが、「国立大学はダメです」という時代が長かったので、そこには他用途の研究転用可能な防衛予算が少ないんですよ。日本の防衛予算は、基本的に軍事研究に使われることが大半です。

日本初のインターネット「JUNET」

一方日本では、昭和59年（1984年）に、東大・慶應大・東京工業大を結んだ「JUNET」という学術ネットワークが誕生します。これがのちに世界のネットワークとつながり、日本のインターネットの原点になりました。

堀江　この頃のインターネットって、アプリケーションは「TCP」「FTP」「メール」「ドキュメント」くらいしかありませんでした。FTPはファイル転送のことですね。パッと聞いて、わかんない人も多いかな。

JUNETは、僕もちょっとだけ使っていました。東大だったので、東工大とつないでEメールをしていましたね。

あと「ＵＵＣＰ（ユニックス・トゥ・ユニックス・コピー）」というのですが、ようはいまみたいに常時つながれないのです。つながる時間が限られている。大学と研究機関の専用回線があるところはいいのですが、ないところは出すメールをためておいて、１日に何回かつないで送っていました。これが「ＵＵＣＰ」というプロトコルです。

「ＷＷＷ（ワールド・ワイド・ウェブ）」の発明

「ＪＵＮＥＴ」が誕生した当初、その主な使い道は、メールやファイルのやり取りでした。その状況を変えたのが、平成３年（１９９１年）に、ティム・バーナーズ＝リーが発明した「ＷＷＷ（ワールド・ワイド・ウェブ）」です。ＷＷＷとは〝世界中に広がる蜘蛛（くも）の巣〟、つまり、世界中をつなぐウェブサイトの仕組みのことです。これによって、世界に向けてウェブサイトを公開したり、閲覧したりできるようになりました。

堀江　ＷＷＷがまともに使えるようになった初めてのアプリケーションが「ネットスケープ」でした。当時、ＭａｃとＵＮＩＸでしか使えなくて、僕はＭａｃで使っていたのですが、それが出てきたときにすごい衝撃を受けました。

それを見て、きっとマイクロソフトは「やべえ」と思って、突貫で「ウィンドウズ95」を作ったんだと思いますよ。

パケット通信の誕生

堀江　インターネットを語る上で、もうひとつ重要なのが「パケット通信」が開発されたことです。

それまでは「データ通信」といって、テキストデータや画像データなどを送るときに、情報の送り手と受け手がひとつの回線でつながっていたんです。

それが「パケット通信」という方式になりました。

これまでは、回線をつないだらA点からB点にしか送れなかった。それが途中に「ノード」という点をいっぱい作って、そこからバケツリレー方式で送れるようになったのです。

パケット通信では、まず情報をこま切れにします。決められた長さに切るんです。それを「パケット（小包）」として一つひとつに宛名や発信先、到達先を全部ラベリングする。ようは「荷札」をつけるわけですね。

小包に荷札をつけて、誰かの画像があったとしたら、それをバーッと100万個ほどの荷物に分けて、それをこま切れにして送るんです。どういうルーティングでもいいようにして送るのです。

「ルーティング」というのは経路ですね。どういう経路で送っても届くようになっている。途中の道が、たとえば細かったりとか、舗装されていなかったりしても、遅れるんだけど絶対に届く。ある道が行き止まりだったら迂回して届くようになっている。

昔は、いまみたいに光ファイバーとかブロードバンドがないから、めちゃくちゃ回線が細いところもあったんだけど、とにかく情報は確実に届くわけです。宛先にまで確実に届くし、もし万が一届かなかったら、「届きませんでした」ということもちゃんと送り主に知らされる。この仕組みがＡＲＰＡＮＥＴで開発されて、これがインターネットのもとになっているんです。

だから「パケット通信」というのはすごく大切なんです。

◉コラム◉　インターネットは、何が革命的だったのか

世界をつないだ「インターネット革命」

　現在では想像できませんが、30年前はほとんどの人が「インターネット」という言葉さえ知りませんでした。当時のインターネットは、一般の企業や個人が使うものではなく、ごく一部の大学や企業の研究者だけが研究目的で使うものだと考えられていたからです。

　しかし、それから長い時間が経ち、インターネットは世界中に広がり、現在では地球の人口の約半分にあたる37億人もの人を24時間３６５日、いつでもどこでもつなぎ続ける超巨大ネットワークに成長しました。

「平成」のあいだに、すっかり当たり前になってしまったインターネット。どうして、ここまで広がったのか。そもそも一体、何が革命的だったのか、ここでおさらいしてみましょう。

まず大きな出来事は、世界中のすべてのコンピュータが同一のネットワーク上でつながれるようになったことです。それを実現させたのが、ＷＷＷ（World Wide Web）という技術です。世界規模の蜘蛛の巣という意味のこの技術は、どこかに中心となるホストコンピュータがあってそこを経由してやり取りをするというこれまでのパソコン通信の概念とは異なり、あえて中心を作らず、コンピュータどうしが分散したまま、つながることができます。この設計思想そのものが革命的でした。

平成８年（１９９６年）に放送されたＮＨＫスペシャルのシリーズ『新・電子立国』では、インターネットを「コンピュータ地球網」と表して伝えました。コンピュータの空間は、それまで「電脳空間」や「仮想世界」などといった言葉でたとえられてきましたが、この「コンピュータ地球網」というたとえは、当時全く新しい概念として登場したインターネットを視聴者になんとかわかりやすく伝えようとした制作者の思いが垣間見える言葉です。

革命を支えたウェブの技術

ＷＷＷ（World Wide Web）は、３つの要素から成り立っています。

１つ目は、ＨＴＭＬ（Hyper Text Markup Language）です。ハイパーテキストと

は、複数の文書（テキスト）を相互に結びつける仕組みのこと。インターネットを通して、世界中の離れたコンピュータ間でも、この文書どうしを結びつけることが可能になりました。紙の文書では、到底実現できないことです。

こうしたＨＴＭＬで書かれたコードに、文字・画像・動画・音声など多彩なコンテンツを配置したり、さらに他の文書をつなげるためのリンクを埋め込んだりしてできたのが、ウェブページです。

２つ目はＨＴＴＰ（Hyper Text Transfer Protocol）。ＨＴＭＬで表現されたテキストの場所を表す「住所」とたとえればいいでしょうか。

３つ目がブラウザです。ブラウザとは、Firefox、Internet Explorer、Safariなど、ウェブページの情報を画面に表示させることができる閲覧ソフトです。ユーザーはこのブラウザを用いることで、あらゆるウェブの情報にアクセスできるようになりました。

ＨＴＭＬという情報を記述する仕組みが、ＨＴＴＰという住所から配信され、ユーザーは、ブラウザという閲覧ソフトから簡単に情報を知ることができる。それが、いつでも、どこでも、好きなときに、しかも、ウェブ上にアップされていれば、世界中どの情報でも、国境を越えて知ることができます。その集合体がインターネットなのです。

これまで、情報にアクセスしたり手に入れたりするには、官公庁や企業、メディア、学校、図書館などの情報が置いてある場所に直接足を運んだり、情報を購入したり、フアックスなどを通じて取り寄せたりしなければいけなかったのが、家のパソコン一台でできるようになりました。革命的なインターネットの「設計思想」には、こうした技術が背景にあったわけです。

技術が「情報の民主化」を起こした

こうしたインターネットの思想は、世の中にどんなことをもたらすのか。コピーライターの糸井重里さんは、著書『インターネット的』で、その特徴を「リンク・フラット・シェア」の3つで説明できると表現しています。

インターネットにより、これまでつながっていなかったものが相互につながれるようになったことで、逆にいえば、情報をどこかひとつの場所に集める必要がなくなりました。

まずウェブ上に公開し、ハイパーリンクの機能を使って結びつけることで、あらゆる情報と情報をスムーズに行き来させることができる。これが「リンク」の特徴です。

リンクを駆使して、自分の興味の赴くままに関連するウェブページを閲覧していけば、ユーザーは世界中の情報にアクセスし続けることができます。こうした行動は、波から波へと渡るサーフィンに似ていることから「ネットサーフィン」と呼ばれ、特にインターネットが普及し始めた初期によく語られました。いわば「情報の波乗り」を実現したのがリンクです。

次に「フラット」です。日本語では「平準化」と訳されますが、インターネットの登場により、情報の「送り手」と「受け手」の上下関係が緩やかになったことを意味しています。

インターネットが生まれる前、大勢の人に情報やメッセージを伝えるのは、新聞社や放送局などのメディア、または国や官公庁でした。また、一部の小規模のものを除いては、ユーザーが自由に情報を発信する「新聞社」や「放送局」を作ることも、資金や認可の面において、容易ではありませんでした。ユーザーは、情報が送られてくるのを待つことしかできなかったのです。

しかし、インターネットが普及した今日、状況はガラリと変わりました。インターネットに接続しさえすれば、個人のユーザーでも、情報を世界中に発信できるようになりました。ブログやユーチューブなどを通して、インターネット上で書いた文章、撮影した写真や動画を公開することが可能になったのです。

皆さんがふだん何気なく行っているような、ツイッターでつぶやいたり、フェイスブックに近況をアップしたり、インスタグラムに写真をアップしたりする表現や情報は、消費者がコンテンツを発信するという意味から、ＣＧＭ（Consumer Generated Media）と呼ばれます。その規模は年を追うごとに大きくなり、ＳＮＳは世界中に数億単位のユーザーを持つ、まるでひとつの国家であるかのような規模のソーシャルメディアへと発展しています。フェイスブックの月間アクティブ利用者数は平成30年（２０１８年）末時点で23億２０００万人とされており、世界人口Ｎｏ・１の中国の約14億人とNo.２のインドの約13億人を足した数に迫っています。

まさに、インターネットは巨大な情報通信メディアとなり、特に若い世代を中心に、新聞やテレビよりも、ソーシャルメディアで得た情報から、世の中の動向を把握している人のほうが多くなる日常になってきました。最近では、ユーザーの投稿をもとに、メディアがとくダネ映像やニュースを探す事例も出てきています。

このように、「情報を流していた側」と「情報を受け取っていた側」の関係が変化し、情報がメディアに集まっていた中央集権型から、ユーザーのところに分散化され、その関係性は、平準化していくことになります。情報の出し手・受け手の関係を変えた、これがフラットです。よくネットの登場によって「情報の民主化」が起きたと語られますが、まさにこのフラットがそれを意味しています。

こうしたリンクやフラットという概念が存在するインターネット上で、より際立ってきたのが3つ目の「シェア」です。

シェアとは、共有するという意味ですが、たとえるなら「おすそ分け」です。自分がいいなと思う情報を人に紹介することです。シェアは強い。「クチコミ」に代表されるように、人は知らないメディアから伝えられるよりも、知っている人から伝えられる情報を信頼する傾向にあります。「悪事千里を走る」のように、悪い話もシェアの対象となりますが、個人と個人のあいだでさまざまな情報がシェアされるようになったのは、インターネットがもたらした特徴であり、それが文化としても根づきつつあるのです。

クラウドがもたらした「永遠のベータ版」と「集合知」

番組では、糸井さんの「リンク・フラット・シェア」の概念に加えて、「永遠のベータ版」と「集合知」というインターネットが生んだ概念も特筆すべき革命だと考えました。

インターネット上で動くソフトやアプリケーションは、誕生の初期でこそCDやDV

Dといった製品になっていましたが、現在はクラウド上に上げられたものになっており、アップデートを繰り返しながら利用されています。

「ベータ版」という言葉は、もともと最終的な完成の前に、試験的にユーザーに提供するものを指す言葉でした。企業が製品を売っていた時代は、まずベータ版を提供し、そこで得られたユーザーの反応を見て、最終的な商品に仕上げて正式発売を迎えていました。

ところが、ソフトやアプリケーションがクラウド化されたいま、商品をリリースしたあとも改良やアップデートを繰り返すことが可能になりました。極端にいえば、完成品は存在しなくなりました。

そうなると、サービス開発やリリースのスピード感が明らかに上がります。完成品ではなくても、とりあえず世の中に出して、ユーザーの意見や要望を取り入れながら変幻自在に変えていけるわけです。

そして、もうひとつが「集合知」です。

集合知とは、多くの人の知識や知恵を集結させて、ひとつの知性として体系化されたもので、パソコンで広く使われるマウスの発明者として知られるダグラス・エンゲルバートが提唱した「コレクティブ・インテリジェンス（集合的知性）」という考えがもとになっているといわれています。

集合知を代表するものといえば、インターネット上で、無料で利用できる百科事典「ウィキペディア」です。英語のほかに日本語・フランス語・ドイツ語・ヘブライ語・中国語・エスペラント語など多数の言語版があり、ユーザーが参加することで、内容が出来上がっていく仕組みになっています。

こうした誰もが自由に参加できる「場」というのは、日本でも「ニコニコ動画」や「ツイッター」などへと広がりを見せていきますが、インターネット登場以前は、ほとんど見られませんでした。

インターネットは何が革命的だったのか。「JUNET」の設立者であり、日本のインターネットの「父」と呼ばれる慶應義塾大学教授の村井純さんは、こう語っています。

トップダウンで決められたストラクチャーではなくて、ラフなコンセンサス。みんながバラバラに生きていても、ゆるやかなコンセンサスがあればだいたいうまくいく、ということです。インターネットの設計思想はまさにこのとおりです。

最後の詰めにくいところは詰めないで残しておいて、どんどん動かしていく。現にインターネットの上では、運用面でも制度面でもそのようなことがたくさん起こっています。

こういうものだからこそ、インターネットは急速に世界に広がることができているのです。

この村井さんが語った考えは「ウィンドウズ95」が発売された平成7年（１９９５年）に刊行された著書『インターネット』に記載されています。

インターネットが普及し始めた初期の段階で執筆されたとは思えない、現在のネット状況を予想する記述があらゆるところに登場する、「平成ネット史」を代表する一冊です。

現在に続くネット社会の道筋を拓いた村井さんは、令和2年（２０２０年）1月、定年を迎え、教授を退職されました（現在は名誉教授）。その最終講義では、インターネットは「人類が初めて手にした世界共通のデータ・ネットワーク」だとして、国や政府から独立した国境のない形で運営することの大切さを強調されたといいます。

こうしたインターネットの本質を忘れずに時代と向き合っていきたいものです。

Chapter
2

ネットは「オタク」のものだった

平成10年
（1998年）
〜
平成18年
（2006年）

④ テキストサイトからブログへ

「キリ番ゲット」「カキコ」「工事中」

平成10年（1998年）前後、女子高校生のあいだでルーズソックスやプリクラ、たまごっちが流行していた頃、個人でホームページを開設する人が急増。個性的なサイトが続々と誕生しました。

当時、サイトに訪問する人の多くが情熱を燃やしたのが、いわゆる「キリ番ゲット」。サイトの訪問者を数えるカウンターが、〝1234〟や〝7777〟など、アクセスしたときに「キリのいい番号」になることです。

キリ番をゲットしたときには、サイトの掲示板に記念の「カキコ」をするのがお約束。当時は掲示板に書き込みをすることを「カキコ」と呼んでいました。

また、サイトの中には、完成していない「工事中」のページも数多くありました。中には永遠に工事中のまま……なんてことも。

「侍魂」フィーバー

この頃は回線が遅く、画像を多く使ったサイトは読み込みに時間がかかるため、避けられる傾向にありました。

そんな中、流行っていたのが、画像は少なめで文章がメインの「テキストサイト」です。テキストの色や大きさ、改行などに工夫を凝らして、ネタのような日記やコラムを発信する、作者個人のオリジナリティーにあふれたサイトが流行しました。

そんなテキストサイト流行のさなか、突如現れ、爆発的な人気を誇ったのが、平成13年（2001年）に開設された「侍魂」です。当時大学生だった筆者の健さんが独特の観点でつづる日記やコラムが大人気となり、開設から2年足らずで1億ページビューを達成した〝お化けサイト〟でした。

そんな「侍魂」の知名度を一気に高めたのが、中国製の人型ロボット「先行者」をギャグ交じりに紹介したテキスト「最先端ロボット技術」。同人誌やストラップなどのグッズまで登場する人気ぶりでした。

「ブログサービス」の登場

一世を風靡(ふうび)した「侍魂」ですが、平成18年（２００６年）を最後に更新が途絶えます。実は当時、健さんをはじめ、人気テキストサイトの管理人の多くが学生だったため、就職を機に更新頻度が激減したり、閉鎖になったりしていったのです。

入れ替わるように、人気を集めたのが「ブログ」でした。

ウェブサイトを作るには専門的な知識が必要でしたが、ブログは決められたフォームに入力するだけで世界に公開できるシステムです。

更新の手軽さから一般人だけではなく、多くの芸能人も「ブログ」を開設。眞鍋かをりさんが平成16年（２００４年）に開設したブログは、独特の文体で大人気になり、当時眞鍋さんは「ブログの女王」とも呼ばれました。

ブログは日本人の特性にも合っていたのでしょう。平成18年（２００６年）に行われた調査では、世界のブログのうち、日本語で書かれたブログの割合がトップになっています。日本とアメリカだけで4分の3を占めていました。

個人がさまざまな情報を発信し始めたことで、ネットは新たな役割、巨大なメディアとして成長を始めたのです。

ファンと直接やり取りすることが画期的だった

眞鍋かをり（以下、眞鍋） 私、ブログより先に個人のホームページを作っていたんですよ。

いまだったら信じられない話なんですけど、私がデビューした頃って、芸能事務所もホームページすら持ってない時代でした。ファンの人が握手会に来てくれても、「ありがとう」ってコメントを出す場所すらない時代だったんです。それなら自分でやろうと思って、「ワードで作れるホームページ」みたいな本を買ってきて、HTMLを書いて作っていました。

個人のホームページでファンとやり取りし始めたのが、たぶん平成11年（1999年）くらい。その延長で「ブログ」っていうものが平成15年（2003年）～平成16年（2004年）に登場して、「こっちのほうが便利だな」と思って、移りました。

いまは芸能人がブログで私生活を見せるのも普通ですよね。インスタのストーリーにアップしたり、ユーチューブで自宅の部屋から配信している子もたくさんいる。でも、昔はそういうことが全然なかったんです。テレビの世界がすべてだったので、ちょっとした失敗談とか、裏の表情みたいなものを見せられるのがインターネットの中だけでした。

当時、アイドルとしてデビューして、優等生アイドルみたいな印象でずっとやってきたのが、すごく息苦しかったんですよ。だから、ちょっと、真面目じゃないところを出したいっていう思いもあって。

内容は、私のことをあまり知らない人が読んでも楽しめるような、ちょっと小話的なもの。ファンに書くっていうよりは、誰がのぞいてもいいように。

ブログが出てきた当初は、芸能人のブログってお知らせオンリーなことが多かったですよね。でも、イベントとかテレビやラジオ番組に出演しますよといった告知とかじゃなくて、ちょっと笑える話みたいなのを書いていこうと思ってやっていたら、それが皆さんにたくさん読んでいただけた、というわけなんです。

宇野　バラエティー番組などで、あえて楽屋を半分見せる演出って昔からあって、特に、80年代にはすっかり定番の演出手法になっていましたよね。

「芸能界」という本来なら遠くにあるはずの世界の「舞台裏」を「あえて」見せる。オーディションの過程を公開してみたり、楽屋のような雑談をわざとしてみせたり。

そうやって視聴者に「お茶の間」と「芸能村」というのが地続きである、という錯覚を一生懸命演出していたわけです。ところがそこにインターネットが出てきて、眞鍋さんみたいな人がバンバン自分の言葉で書くようになって、ガラッと変わっていった。メディアの世界にいる人と一般の人がサイバースペースで一瞬でつながってしまって、80年代のテレビバラエティー的な小賢しい演出が無意味になってしまった。

「Movable Type」をより簡単に

堀江　芸能人の「ブログ的なもの」は、僕も結構前から作っていました。

平成8年（1996年）くらいから、ライブドアで芸能人やミュージシャンなどのウェブサイトをたくさん作っていたので、そういう人たちが手軽に書けるようなシステムを作っていたんだよね。あと、たとえば「ビッグコミックスピリッツ」のウェブサイトもやっていたから、漫画家さんが直接コメントを出せるようにしてありました。

たしか平成12年（2000年）の初めくらいに「Movable Type」というアプリケーションが出てきて、それをインストールするとウェブサイトにテキストや写真などの情報をめちゃくちゃ簡単に書き込めるようになりました。コメント欄もつけられるし、トラックバックという仕組みもあったりしました。

ただ、それでもある程度の専門知識がある人じゃないとできなかったんです。

そんな中、平成15年（2003年）の11月くらいに、僕が作った「ライブドアブログ」や眞鍋さんが使っていた「ココログ」というニフティサーブのサービスが、誰でも必要な項目を打ち込んだら、すぐにブログを開設できるシステムを作ったんです。

その時点で日本は結構先行していて、大手のIT会社がやり始めました。だから実は、ブログのシェアがバーッて伸びたのは、僕らのおかげですよ。ただ、ライブドアブログは、そのあと例の「事件」が起きるので……。事件の前までは僕らが圧倒的で、アメーバブログなんて影もなかったですね。

ヒャダイン　け、結構、ぶっちゃけますね、堀江さん（笑）。

堀江　なぜブログに目をつけたのか。もともと芸能人のウェブサイトを作っていて、それがあるとすごくファンとの距離が縮まるし、彼らのマーケティングにめちゃくちゃ役に立つとわかった、というのがひとつ。

もうひとつは、「侍魂」のように個人の書いているブログも結構おもしろいんです。それをHTMLをちゃんと書ける人しか作れないのではなくて、もっとハードルを下げたかった。文章がうまい人は世の中にいっぱいいるから、それを顕在化させるためにはどうしたらいいか、と考えていました。

Movable Typeをさらに簡単にして、個人がネットで簡単にサイトを作れるようにしたらいいんじゃないかというのを、平成15年（2003年）くらいにITの会社の人はみんな思っていたはずです。

そこで、ニフティサーブという会社と、僕のライブドアという会社が一気にそれを作って一大ブームになったということです。

ブログの登場によるネットカルチャーの変化

宇野　テキストサイトからブログへ移行したことで、インターネットカルチャーも結構変わったんですよね。

テキストサイトって比喩的にいえば暇な文系大学生の文化じゃないですか。「侍魂」とかもそういうメンタリティーです。実際に健さんがどういう人か知らないけれど、基本は80年代のおもしろ主義というか、意味のないことをあえておもしろがって見せるというセンスを引き継いでおきながらも、そこにちょっと90年代のオタクっぽい露悪趣味というか、本音主義が加わっている。

ユーザーもほとんどがハンドルネームでやっていて、マスコミでは扱わないようなえげつないとこをどんどん扱っていく。つまり、建前だらけのマスコミとは異なる本音の世界だったんですよね。

たとえば社会的に注目の集まる事件があったとき、テレビのワイドショーではその関係者の素顔が出てこないことってよくありますよね。でも、当時のインターネットはすぐにそれが誰かの手でアップロードされている。しかもそれをいまと違って誰も止めない。

この露悪的なセンスは、のちの「2ちゃんねる」や「ニコニコ動画」に受け継がれていくんだけど、「インターネットっぽい文化」というと、当時はこれだったんですよね。それが、ブログブームが来たことでちょっと変わっていった。一言でいうと、少しだけメジャーになってきた。

いまみたいにテレビとほとんど扱うネタが変わらないところまでは全然いっていないんだけど、これまでとは違って、社会の中心にいる「ちゃんとした大人たち」にどんどん普及していった。それくらいのタイミングですね。僕もそうですが、ちょうどテキストサイトを担った若者たちが社会に出るタイミングだったのかもしれません。

★「侍魂」の管理人・健さんに聞いてみた

更新停止から15年、近況は？

いま40歳（収録当時）で、親父が地方でやっていた小さな会社の社長をしています。結婚10年目になりますが、奥さんは「侍魂」とは全然関係ないですし、テキストサイトへの興味もないですね（笑）。2人の子どもたちは、私が「侍魂の健さん」であることを全く知らないんです。

前例のない「異常事態」だった

「侍魂」は、大学生のときに開設しました。当時、親父の会社のホームページを作る代わりにパソコンを買ってもらったんです。そこで初めてテキストサイトに出会って、先輩方がすごくおもしろい文章を書いているのを見て、単純に「なんかやってみたい」というミーハーな気持ちで始めました。

夜に、自分で考えた文章をサイトで発表するんですよ。そうすると、掲示板に「おもしろかったです」とか「すごい爆笑した」みたいなコメントがあって。アクセス数が上がっていくと認められたような感じがしました。少し有名になってくると、いままで憧れていたテキストサイトの書き手の人たちと交流できるようにもなって、うれしかったですね。

ただ、プレッシャーはすごくありました。1日のアクセスが20万とかで、それまでただの大学生だったのが、急にスターダムみたいなものにのし上がった感じで。テレビやラジオに出してもらったり、局の前に出待ちの女の子がいたりするように急に変わって、これは「異常事態」だなと。

イベントとかをやっても、簡単に100万ヒットみたいな数が出ちゃうんです。それぐらいになると、何を書いてもいろいろ言われます。個人がネットで急に注目を浴びて有名になるなんて前例がなかったので、誰にも頼れない。なので、当初はすごく悩みました。でも、なんか俺の人生おもしろいことになってきたみたいな、ワクワク感みたいなものもあったので、とりあえず行けるところまで楽しんでみようと、ブームを楽しませてもらいましたね。

「先行者」ブーム

ブームの火付け役となった、中国製の人型ロボット「先行者」のネタを発表したあとは、それまでテキストサイトを見ていなかった人がたくさん見てくれるようになったんです。良い意味で〝チェーンメール〟が流行って、友達の友達、さらにその友達……って。当時「1日に50通のメールを処理する方法」みたいな本が出版されていたのを覚えているんですけど、当時の私は1日に500通から1000通くらいメールを受けていました。ファンからのメールもあれば、中国語で書かれた長文のメールもありました。エキサイト翻訳にかけたら、翻訳はあまり機能していなかったんですけど、脅迫っぽい単語が交じっていたメールも多かったですね。

個人が「マネタイズ」するのが難しかった

「侍魂」をやっていたのは、大学1～2年生の頃から卒業までです。どうして更新をやめたのかとよく聞かれるのですが、将来的に親父から会社を継ぐつもりだったし、大学を卒業したあとは普通に働かないといけないので、自然とフェードアウトしていきました。

もうひとつの理由は、当時個人がインターネットを使って「マネタイズ」するのが難しかったんですよね。インターネットのサービスを介して個人がお金を儲けるみたいなのに対して、すごく嫌悪感が強い時代でした。一度、批判を受けながらもサイトにバナー広告をつけてみたんですよ。その当時のバナー広告というのは、クリックされるとお金が入ってくるという簡単な仕組みだったんですけど、やってみたら、1か月に100万ぐらいドンと入ってきたんです。だけど結局、読者の皆さんが私への応援の気持ちで、〝投げ銭〟としておもしろがってクリックしちゃうので、全然購買には結びつかなくて、1か月で契約打ち切りになってしまって。よくいろんな人に『侍魂』でお金を儲けたんじゃないか」と言われるんですけど、20年越しに訂正させてもらいたいですね。

逆に、いまのユーチューバーの方々は「億」単位のお金を稼ぐと聞くんですけど、私が言っておきたいのは、いま皆さんがネットでお金を稼げるようになった背景には、個人がネットを使ってお金儲けしちゃいけないみたいなプレッシャーの中でも、一生懸命やってきたわれわれ世代の苦労があるんだよ、と。なので、ちょっとわれわれの世代に還元していただいてもいいんじゃないかと思っています(笑)。

「ブログ」は邪道に映った

「侍魂」の更新をやめてからは、ブログやSNSには全然手を出していません。いまだにツイッターの使い方もよくわかっていません……。

当時のテキストサイトの人たちの文化は、自分でサイトの雰囲気も作り上げていくのが醍醐味みたいなところがあったので、用意されたテンプレートで書くブログは、なんとなく邪道に映ってしまいます。だけど、実際に横で見てると、更新のしやすさとかは大正義で、「こういうふうになるべきだったんだろうな」っていうのはすごく感じましたね。

「侍魂」が人生の糧に

あの当時、インターネットがすごいことになると肌で感じていたので、親の会社を継ぐときも、「これからはインターネットがすごいことになるから、うちもネットを中心とした商売に変えていこう」と決めていました。結果、時代の流れにうまく乗れたと思います。個人の発信力が強くなっていくとも実感していたので、「侍魂」の経験から、本業でも自分の見せ方を意識するようになりましたね。

あの頃は「自分たちが主役」だった

「侍魂」の頃は、インターネットで世の中の風通しが良くなって、おもしろくなりそうだとワクワクしていたんですけど、現在のネット界隈を見ると、フェイクニュースであるとか、監視し合うような雰囲気とか、自分たちが思っているよりはワクワクした雰囲気ではなくなってしまったなと感じます。

あの当時は、自分たちでネットの中の世界を作り上げていくというのがすごく楽しくて、「自分たちが主役」という感じが強かったんです。狭い世界の話なので、はたから見ている人には笑われてしまうかもしれないですけど、あの当時ネットでいろいろやっていた人はみんな、そういうことを感じていたと思うんですよね。

⑤「2ちゃんねる」の登場と〝祭り〟

日本のインターネット史に多大な影響を与えたのが、平成11年（1999年）に開設された巨大匿名掲示板「2ちゃんねる」です。

〝「ハッキング」から「今晩のおかず」まで〟というキャッチコピーのとおり、「板（いた）」と呼ばれる、さまざまなジャンルの掲示板が無数に集まり、「2ちゃんねらー」と呼ばれる人たちの格好の遊び場になりました。

「どんなマニアックな話題でも深く語れる人がいて、日々の癒しに」
「同じ趣味趣向を持つものどうし、緩やかな連帯感があった」
「ネットのマナーやルールはすべて、2ちゃんねるから学びました」

番組で募集した視聴者の方からの「平成ネット史」の思い出、エピソードでも、「2ちゃんねる」に関する声が多く寄せられました。

「2ちゃんねる」では、いまでも使われる、さまざまなネット文化が開花しました。文字や記号でイラストを作る「アスキーアート」。〝ｋｗｓｋ（くわしく）〟〝逝ってよし〟〝キボンヌ〟といった「ネット用語」も、「2ちゃんねる」で誕生し、広まっていったといわれています。

さらに、「2ちゃんねる」から誕生した文化が、ひとつの話題でリアルも巻き込んで盛り上がる「祭り」です。映画『マトリックス リローデッド』が公開された平成15年（2003年）には、「登場人物のコスプレで鬼ごっこをしよう」という書き込みがきっかけとなり、150人もの「2ちゃんねらー」が渋谷スクランブル交差点をジャックする「マトリックスオフ会」に発展。全国各地にも派生し、まさにお祭り状態の大騒ぎになりました。

他にも、某テレビ局の湘南ゴミ拾いイベント開催前に湘南のゴミを拾いつくそうという「湘南ゴミ拾いオフ」。広島平和記念公園で焼けてしまった折り鶴14万羽をみんなで折ろうという「折り鶴オフ」など、「2ちゃんねらー」の中で団結力が生まれ、実際に行動に移す住人が続々と現れたのです。

「2ちゃんねる」閉鎖を食い止めた「UNIX板」

多くの人たちの棲み家となった「2ちゃんねる」ですが、実は一時は閉鎖寸前になったことがありました。

開設から2年、利用者が急増したことで、サーバーとの通信データ量が激増。広告の表示でまかなっていた費用では運営が困難になり、掲示板が次々と消えていったのです。

ほとんどの住人が、自分たちの板が消えていく様子を為すすべもなく見守ることしかできなかった中、閉鎖を食い止めるために動き出した、ある板の住人たちがいました。その板が「UNIX」。

このUNIX板のプログラマーたちが、サーバーとの通信データを圧縮するアイデアを提唱。他の板の住人たちにも呼びかけたのです。匿名のプロフェッショナルたちがそれぞれの技術を駆使し、新たな圧縮プログラムを作り上げました。

2ちゃんねるの窮地を救ったのは、無名の住人たちの知恵と団結力、そして遊び心だったのです。これは、「2ちゃんねる」が初めてひとつになった伝説の日として、いまも語り継がれています。

そのプログラムの改良に参加したひとりが、プログラマーの戀塚昭彦（こいづかあきひこ）さん。「ニコニコ動画」を3日で作った神としても知られています。

★「2ちゃんねる」を救った〝英雄〟・戀塚昭彦さんに聞いてみた

私はあまりUNIX板は見ていなかったのですが、「プログラム技術板」というところに手を貸してくれみたいなスレッドが立ったのを見て、作業に参加しました。参加したプログラマーたちは、UNIX板の英雄だとか、UNIX板の人だけが頑張ったように語られがちですが、実際は、いろんな板の人たちがその騒ぎを聞きつけて集まって、いろんな場所で同時に作業していた感じだったんです。

私には「2ちゃんねる」を守ろうといった正義感みたいなものはなくて、単純に自分の技術を使える新しい遊びが始まったっていう、そんな感じでした。当時ウェブの技術がまだあまり発展してない状況だったので、いろいろ実験するのが楽しくて。

当時は完全に「匿名」での活動だったので、自分がこうして名前を出すにあたっては少し悩みました。名前を出さないのが不文律みたいなところがあったので、ちょっとルール違反な感じはしないでもないですけど。

社会が「オタク」をおもしろがり始めた

堀江　一般社会がインターネットを通じて、「オタク」っていうものをおもしろがり始めたのが、ちょうどこの頃です。

全く理解できない存在なんだけど、「ちょっとこの人たちおもしろいじゃん」「ネットでよく見かけるぞ」と思い始めたっていうことがひとつ。

もうひとつが、まさにオタク自身がカミングアウトし始めたということです。いままで自分たちはずっと日陰者だったんだけど、結構おもしろがってもらえるし、オタク趣味というものを通じて、コミュニケーションを広げていくことができる。変な話だけど、オタク趣味を通じて「リア充」してもいいじゃないかという。

あと当時は「オタクである」というのを女性がカミングアウトしにくい環境にあったのも事実でしょう。

だから、最近の若い子たちと話していると、堂々とオタク趣味をひけらかせるから「俺、この時代に生まれたかった」と思いました。昔はカミングアウトできなかったから。いまは平気で「漫画好きです」「アニメ好きです」って言える。いい時代ですね。

「2ちゃんねる」なんて、ろくでもない

宇野　もちろん、「2ちゃんねる」というのはのちのニコニコ動画にもつながっていく、初期のインターネットのアナーキーなセンスを維持したまま、集合知を用いておもしろいものをいっぱい作っていこうという場に、ある部分が結果的になっていたのは間違いないんですよ。

ただね、いまちょっといい話に聞こえますけど、基本的にはろくなもんじゃないですよ、2ちゃんねるは。ようするに、無法地帯なのでデマと嫌がらせの温床ですよ。ここを間違えちゃいけない。

堀江　2ちゃんねる、僕は基本的に嫌なことしかなかったですね。僕をディスるための板なんか、ずっと前からあるから。「あめぞうBBS」時代からあるので。ひどいもんっすよ。

「ガールズちゃんねる」の「堀江」とかで検索すると、罵詈雑言しかない。陰キャの女の子がどういうふうに俺のことを思っていたんだっていうのが赤裸々に書いてあって、メンタル弱い人が読んだら崩壊しますよ。

眞鍋　2ちゃんねるの登場によって、精神を病むアイドルが続出したんですよ。私がデビューしたてくらいのときに、ちょうどパーッて広まっていったんですけど、直接は言われないような悪口とかがやっぱり書かれています。それを見に行っちゃったアイドルの子とかが、みんなメンタルやられちゃって。それで一時期、事務所から「2ちゃんねるは見ないように」と言われるくらいでした。

いまは殺害予告すると普通に逮捕されますが、当時はルールとかも全然なくて混とんとしていたので、イベントやるっていったら、結構普通に殺害予告はありましたね。

宇野　ひろゆきさんとか、2ちゃんねるを作った人たちは、どちらかというと、パソコン通信の時代「世界中のいろいろな人と自由につながって、その知識をシェアできる」というインターネットの集合知のおもしろさに期待していたと思うんです。効率良く情報を集めるだけならば、匿名のほうがやりやすいところは確実にある。ハンドルネームをつけちゃうと、どんな場にも「村の長(おさ)」みたいなやつが出てきて、同調圧力が支配するようになる。そうなると、どんどんそこに書かれることは多様性を失っていく。おそらくそれをひろゆきさんは嫌って、匿名にした側面もあると思うのですが、その結果起こったのが「匿名だから何書いてもいい」という風潮です。

「自分」を棚上げして、インターネットという場の空気の一部になる。そして書いたものには責任をとらない。ただその「場」の一部になって安全な場所から他人を攻撃してスッキリする。そんな陰湿さと、いまここで紹介されたクリエイティビティーは表と裏なんですよね。

ネットの匿名性

森永真弓（以下、森永）　一方でね、私は匿名性の恩恵も受けています。

たとえば、「格闘技が好き」とか「プログラミングが好き」とか男性っぽい趣味のことを話そうとしたときにその人が女性とわかると、上から目線で「わかってないお姉ちゃんに教えてやろうじゃないか」みたいなマウントをとられて、嫌な思いをすることがあるんです。でも、2ちゃんねるだと性別がわからないから、普通に仲良くなることができる。これは匿名の恩恵ですね。

ある調査によると、平成7年（1995年）の段階では、ネットをやっている人のおよそ93％が男性だったというデータもあるそうですから。

堀江　僕はネット文化について、ネガティブなことを言うつもりは全然ありません。ダークサイドな部分はリアルな世界にもあるので。

ただ、ネットができたことによって、発信力のある人が他人の足を引っ張るというネット版の「総会屋」みたいなものも生まれてきちゃって、リアルな世界よりも面倒くさくなった気もします。それは、相手がメディア企業じゃなくて個人だからということも大きいかな。

森永　ネットによって両方が強調されたのかもしれませんね。いいところもすごく出たけど、悪いところもグワッと出ちゃったという。

宇野　だから、いま2ちゃんねるを振り返るときに、「そこが豊かなオタク文化の表現の場になりました」と「いい話」でまとめるのはアウトですよ、完全にね。

『電車男』でネットがメジャー化

匿名が生んだ2ちゃんねるの物語が、あの『電車男』です。

「電車で酔っぱらいに絡まれていた女性を助けた」と書き込んだ22歳のオタクのために、多くの2ちゃんねらーが協力。食事の場所から電話をかけるタイミングまで逐一アドバイスをして、リアルタイムで進む恋のドキドキを共有しました。

そのやり取りは書籍化され、100万部を超える大ヒット。さらには、映画やドラマにもなりました。匿名性から生まれた奇跡は、社会現象にまでなったのです（ちなみに、現在ハリウッドでもリメイク版ドラマの制作が進んでいるんだそう！）。

宇野　「kwsk」や「おk」などの2ちゃんねる用語は打ち間違いから、自然発生的に出てきたものです。あれをこの時代のインターネットユーザーが使っていた頃は、まだぎりぎりインターネットがカウンターカルチャーの範疇で、こうした表現も仲間意識の確認みたいなところもあったと思います。

ただ『電車男』くらいから、かなり潮目は変わりました。

ポイントは2つあって、ひとつはマスメディア、つまり一般社会がインターネットを通じて「オタク」というものをおもしろがり始めたことです。新潮社が書籍化して、大手の民放キー局・フジテレビがドラマ化して、のちに映画『君の名は。』のプロデューサーで知られることになる川村元気さんが東宝で当時映画にしているわけですからね。

もうひとつが、この流れを受けてオタクの側も変わり始めたということです。いままで自分たちはずっと日陰者だったんだけど、最近は意外とおもしろがってもらえるという感覚はオタクたちに自信を与えたと思うし、オタク文化そのものもサブカルチャーとして社会的に認められてきた。

ただ、その一方で、当然複雑な感想もあります。こうやって世の中に認められていくことによって、自分たちの世界の濃度が薄まってしまうんじゃないかとか、あの頃とんがっていた、僕たちだけの空間がなくなっちゃうんじゃないかっていうさびしさもありました。

Chapter
3

通信速度が上がり「動画」の時代に

平成１３年
（２００１年）
～
平成１９年
（２００７年）

⑥ ＡＤＳＬ、そして光回線へ

平成13年（2001年）、通信速度は一気に100倍に

一般家庭でもインターネットが使えるようになったとはいえ、黎明期のインターネットの速度は、現在とは比べものにならないほど遅いものでした。ピーヒョロロ〜と、電話回線でつないでいた頃の速度は28・8ｋｂｐｓ。いま多くの人が家で使っているパソコンの速さが１００Ｍｂｐｓとすると、単純計算で、３５００分の１くらいの速さだったということになります。つまり、いま１秒で開ける画像を開くのに、当時は１時間くらいかかったということになるのです。

平成５年（１９９３年）に始まった日本の商用インターネットですが、平成12年（２０００年）にはＮＴＴで定額制の「ＩＳＤＮ」がスタートします。さらに、ブロードバンドと呼ばれる大容量の通信ができる、定額制の「ＡＤＳＬ」、そして、「光回線」へと一気に進化していきました。

日本のインターネット回線の歴史

年	出来事	速度
平成5年（1993年）	日本初の商用インターネット接続サービス開始	
平成7年（1995年）	NTTが電話代の定額制「テレホーダイ」開始	最大28.8kbps
平成12年（2000年）7月	NTTが**定額制のISDN**開始	最大64kbps
平成12年（2000年）12月	NTTが**定額制のADSL**開始 ➡以後ADSLが爆発的に普及	最大1.5Mbps
平成13年（2001年）8月	NTTが**光回線定額制**開始	最大100Mbps

回線速度が上がるにつれて、インターネットの利用者数も急増。特に平成11年（1999年）から平成14年（2002年）にかけての飛躍はすごく、普及率は約36％も上昇しました。

FLASH黄金時代

平成12年（2000年）に登場したADSLは、これまでの電話回線とは違う、大容量の高速通信を可能にしました。これにより、いまよりは遅いものの、動画を見ることができるようになってきたのです。

この回線速度の進化により、ネット上の遊びも、テキストから動画へと発展しました。その先駆けとなったのが、Macromedia（現Adobe Systems）の「Ｆｌａｓｈ」というソフトで作られた〝FLASHアニメ〟です。当時パソコンを触っていた人のあいだで、この「アニメーションを作る」という遊びが大流行。常識にとらわれず、自分の作りたいものを自由に表現する、エネルギーにあふれた作品が日々続々と誕生し、『千葉！滋賀！佐賀！』『もすかう』『恋のマイアヒ』など、爆発的にブームとなった作品も登場しました。それらの多くは、2ちゃんねるの「FLASH・動画板」を舞台に花開き、同時に、「おもしろフラッシュ倉庫」などのまとめサイトも人気を博しました。

FLASHアニメが流行するきっかけとなった作品のひとつが、2ちゃんねるで流行した〝吉野家コピペ〟を、どこか見覚えのあるスナイパー風キャラにしゃべらせた、『ゴノレゴ』シリーズです。

この動画を作ったFLASH職人・ポエ山さんはこう話します。

「それまでのネット上のアニメーションといえば、静止画を重ねて作るGIFアニメが主流。商用アニメのような動画を、自宅で手軽に作れるFLASHの登場は画期的だった」

ちなみに、このFLASHアニメには、国民的アニメのキャラクターを勝手に使ったり、歴史上の偉人や政治家をネタにしたものも結構ありました（しかも、権利的にアウトなものほどおもしろく、人気があったのです）。

ネットという巨大な集合知で新しい遊びが生まれ、それを広げていく文化が生まれた時代でした。

ユーチューブとニコニコ動画

日本でＩＴ起業家が注目され、「ヒルズ族」という言葉が話題になった平成17年（２００５年）。

この年、アメリカで動画共有サイト「ユーチューブ」が誕生しました。

ＡＤＳＬから光回線へ、回線速度が上がったことで、ネット動画が急速に広まっていきます。

翌年の平成18年（２００６年）。日本で始まった動画サービスが「ニコニコ動画」です。

その最も大きな特徴が、動画の上に「コメント」をつけられる機能。動画に合わせてグラフィカルなコメントをつける「職人」が生まれるなど、コメント自体が表現になりました。

ニコニコ動画において、数多く発表された動画が「やってみた」。歌ってみたり、踊ってみたり、演奏してみたり、アマチュアでありながら何十万人というファンがつく投稿者が続々登場し、社会現象になりました。

平成20年（2008年）からは、ユーザーたちが一堂に会する「ニコニコ大会議（現在の超会議）」がスタート。リアルとネット合わせて、毎年500万人以上が参加する巨大イベントになっています。

⑦ 初音ミクとボカロP 日本独自の表現が生まれた

そんなニコニコ動画からブレイクしたスターが、平成19年（2007年）に誕生したボーカロイド・初音ミクです。

歌詞とメロディーを入力すれば、誰でも自作の歌を歌わせることができる手軽さから、ボーカロイドの曲を作る「ボカロP」が続々誕生。『みくみくにしてあげる♪【してやんよ】』『メルト』『千本桜』など、数々の名曲が世に送り出されました。

ボカロPたちの曲を集めたコンピレーションアルバムは、オリコンチャートで1位を獲得。平成30年（2018年）に歴代累計最多ダウンロードのヒット曲を生んだ米津玄師さんをはじめ、ボカロP出身のメジャーアーティストも数多く生まれました。

初音ミクは、いまでは動画の世界にとどまらず、世界でコンサートツアーを開催したり、音楽番組に出演したりと、ネットとリアルを融合させる存在になっています。

そんな初音ミクをこの世に生み出したのが、開発者の佐々木渉さんでした。

★「初音ミク」生みの親・佐々木渉さんに聞いてみた

実はリリースした当初は、初音ミクの声が機械っぽくて苦手だという人も多かったんです。でも、そういった部分も含めて、まだ不完全な技術の、ただ新しい表現としていろんなことができそうなキャラクターや、歌声としての初音ミクというものに対していろんな人がイメージを持って、クリエイティブにつなげてくれました。社会となじめない人、ひきこもりで外に出てこないような人が、本当に熱心に1年がかりで動画を作ってくれたりもしたんです。商業的な忖度もない状態で、ダイレクトにお客さんに投げかけられる。それがすごく自由で、大きな創作のうねりにつながっていったと思っていますね。

ニコ動ならではの新しい表現が生まれた

堀江　もともと「ニコ動」って、「ユーチューブ」に勝手に字幕をつけるサービスだったんです。その後、サイバーエージェントが運営していた「アメーバビジョン」や「メルカリ」創業者の山田進太郎さんが運営していた「フォト蔵」にも対応していきました。そしたら、ユーチューブに「BAN」されてしまった。

「BAN」って、英語で「禁止令、破門、追放、公権剥奪」という意味なんだけど、悪質なユーザーを排除するフィルタリング措置だったり、アクセス制限されたり、特定のIDが使えないように凍結される処置のことですね。

切断後にニコ動からのアクセスが殺到して、いずれもサーバーが落ちてしまい、ニコ動のサービスを停止。その後、「SMILEVIDEO」という独自の動画配信サービスを作ったんです。

ヒャダイン　僕はニコニコ動画出身なんですけど、ニコ動が流用サービスとして「BAN」されて。結果どうしたかというと、自分たちのオリジナルの楽曲だったり、それこそボカロPの曲だったり、僕はゲームの曲を勝手にアレンジして、歌詞つけてやっていたんですけど、そういうふうに新たな2次創作がどんどんどんどん生まれていったんです。

たとえば僕が歌を出したら、それに「動画つけてみた」とか「踊ってみた」とか、2次創作、3次創作とどんどん派生していって、オタクが高度な遊びをするようになっていった。

堀江　いちばん初めにニコ動でバズったのは平成19年（2007年）初旬。レミオロメンの『粉雪』の合唱や、その2～3週間後に『テニスの王子様』という2・5次元のミュージカルに勝手に字幕をつけるようなMAD動画などでした。あのあたりがおそらく最初にブワーッと盛り上がった。

本当はやっちゃいけない2次創作だったんだけど、おもしろいのは、そのプロデューサーがそのあとニコ動をやっているドワンゴに入社するんです。

違法なテレビの動画とかも相当アップロードされていて、結構危なかったんですよ。

ヒャダイン　平成19年（2007年）秋あたりに「削除祭り」があって、「ニコ動終わったな」みたいなことを言われていたとき、そういった2次創作が出てきたんですよね。

堀江　「削除祭り」と連動して始まった2次創作は、初音ミク・東方プロジェクト・アイドルマスターの「ニコ動御三家」と呼ばれたものでした。いわゆる2次創作を公認、もしくは公然と黙認していた作品が中心だった。

いまもTikTokとか流行ってる動画サービスがありますけど、お題を与えると大喜利みたいにみんなが反応できるんですよね。

TikTokも、曲があって、お題の踊りをしている人たちがいて、それを見て、「こうやってやればおもしろいんだ」ってみんなが真似する。

オリジナルを作るのは難しくても、絵がうまい人は山のようにいるし、いい曲を思いつく人もいたりするので、お題を与えるとみんなすごく頑張ってやるんですよね。

ヒャダイン　連鎖していきますよね。コミケの同人誌もフィジカルな部分では同じことをやっていると思っていて、それのデジタル版がニコ動なんですよね。

しかもニコ動は、絵も描けない、歌も歌えない、曲も作れない、踊れない人でも、コメントで参加することができる。いいタイミングでコメントにアスキーアート描いたりとかして、参加できるんです。

堀江　お笑いでいうと、「ツッコミ」は簡単なんですよ。「ボケる」ほうが難しい。ツイッターとかを見ていると、総ツッコミ祭りになっている。ツッコむのは簡単だからです。あんまり頭使わなくていい。だけど、ボケるのはなかなかできない。最初のツッコまれるネタを出すのって、あんまりできる人はいないんですよね。

ヒャダイン　僕も当時はクリエイターとしてくすぶっていて、誰からも評価されていなかったんですけど、ニコ動では何も介さずに、ダイレクトでお客さんからの反応を聞けたんです。もちろん、罵詈雑言もめちゃくちゃあったんですけど、直接声を聞けたのがすごくやる気になって、クリエイティブな作品がどんどん生まれていったというのはありますね。

「他人の物語」から「自分の物語」へ

宇野　20世紀って世界的に「映像に映った他人の物語」にものすごく感情移入していた時代だと思うんですよ。ニュース映像だったり、映画だったり、音楽のMVだったり、映像が社会の全体で共有できる話題を作っていた時代だと思うんですよね。それが、誰もが発信者になれるインターネットが生まれた瞬間に、「あれ？　そもそも人間というのは他人の物語を受け取るよりも、自分の物語を語るほうが好きなんじゃないか？」って、みんな気づいたと思うんです。

そうやってどんどん人々の関心が「他人の物語」から「自分の物語」に移行していった。

ただ誰もが「発信」できるからといって、ほとんどの人はヒャダインさんみたいにすごい作品を作れたりはしないわけです。でも「このヒャダインの曲、超いいぜ」とコメントをつけたり、逆に「ヒャダインの曲なんてクソだ」とか文句を言ったりするのは誰でもできる。

つまりコメントを打つだけならどんなやつでもできる。だからいまのSNSはとにかく他人のやっていることに何か言いたい人ばかりになっている。そのほうが簡単ですからね。あるいは、そこから一歩踏み込んで、ヒャダインさんの作った曲にイラストをつけてみようとか、もっとこの曲が広まるようにタグ付けしてみようとか、創作にちょっとだけ参加することはできるわけです。これはインターネットの生んだ建設的な現象ですね。

なので、少しでも「自分の物語」を楽しもうという動きに、インターネットのいろんなサービスが適応していった時代だと思うんですよね。

ボカロが人間の能力を拡張した

ヒャダイン　「ボカロ」はキーの制限がありません。高いところも低いところも、あと息継ぎがなくても歌えるので、音楽的に新しいことを実験できる。それがおもしろいんです。クリエイターは人見知りの人も多かったりして、実際に歌を女性に入れてもらうとか、こういうふうに歌ってほしいっていうのを伝えるのが苦手な人も多かったりするんですけど、ボカロだったら「調教」できる。専門用語で「調教」っていうんですけど、悪い意味じゃないですよ。

自分が歌わせたいように、ビブラート入れたり、ちょっとしゃくらせたり、そういったものを細かく入れられる人はすごく「ボカロP」として優秀なんです。

森永　私、びっくりしたのが、「初音ミクは歌えるけど、人間は無理だろう」っていう曲に対して、人間が対抗して「歌ってみた」って返すやつですね。

堀江　ある意味、人間の能力を拡張していますよね。キーをめちゃくちゃ上げても歌えるとか、息継ぎしなくてもいけるとか。ギターのリフもめちゃくちゃなんだけど、人間が全部弾きこなせるようになる。『千本桜』のギターソロのところも「弾けねえだろ」って作ったものらしいんです。だけどいま、みんな普通に弾いていますよね。

宇野　ボカロのすそ野が広かったのは、「プロになりたい」「俺は音楽に人生を捧げるんだ」って人だけがやっているわけじゃなかったからだと思うんですね。

オタクの世界にはずっと「2次創作」の文化が大きな役割を果たしていたわけです。インターネットが生まれる前からコミックマーケットのようなファンが集まる場所があって、そこで自分の好きな漫画やアニメのキャラを2次創作することによって愛を表現する。そういう文化がずっとあった。

そこにインターネットが生まれて2次創作の場がグッと広がった。この時期、こうした場の中心にはニコニコ動画があって、そこでボーカロイドが育まれたんですよね。「このキャラクターが好きだ」とか「このキャラクターにまつわる世界観が好きだ」っていう愛の表現として、みんな創作活動をしていたんですよ。

落合　ツールの費用も安くなりましたよね。アドビでも、数十万円あればすべて揃う時代に変わりました。音楽も動画も作るために必要なコストが低くなったんです。

宇野　ただこれもコインの裏と表。2次創作大国としての日本、ボーカロイドのような素晴らしいものを生んだ日本と、一億総ツッコミ社会で、とりあえず出る杭は打つという日本は表裏一体なんです。

★「ニコニコ動画」生みの親・川上量生さんに聞いてみた

インターネットの常識の〝逆〟をやる

ニコニコ動画を始める頃は、着メロがだんだん着うたになって、手がけていた着メロ事業の先行きが怪しくなってきた時期だったんです。社内でも何か新しいビジネスをやろうっていうことで、ニコニコ動画がスタートしました。

僕らは後発だったので、やるからには最大のニッチを狙うべきだと考えていました。ようするに、みんながインターネットでこれが当たり前だと思っていることに対して、徹底的に逆をやろうと。

　具体的にいうと、当時すごく強かった「グーグルの価値観が正しい」というイデオロギーの逆。もうひとつは、インターネットは無料であり、インターネットは役に立つという概念の逆。僕はそれを徹底的に壊したくて、どう考えても役に立たないだろうというようなサービスを作ることが最初のコンセプトでした。

　当時はユーチューブがあったので、次は「生放送」が来ると思ったんです。いまのインターネットは〝同時性〟がすごく重要ですけど、10年以上前は、同時性が必要ないところがインターネットの強みだといわれていたんですよね。つまり、いつでも書き込めて、リアルタイムでなくてもいいっていうのが売りだったんです。

　だから、僕らがやろうとしたのは、「リアルタイム性のある生放送」。さらにそれにアバターをくっつけたものが、きっと未来の放送だろうと思って作ろうとしたんだけど、作っている最中で、そこまでやらなくてもいいんじゃないかと。それで着地したのがニコ動なんです。

iモードの常識をPCに持ち込んだ

　僕らは、もともとiモードのサービスをやっていたので、広告で稼ぐことは期待していなくて、最初からユーザーに課金してもらう仕組みが当たり前だと思っていました。でも、これはインターネット全体の常識とは大きくかけ離れていました。

しかも、iモードの世界というのは、基本、毎日更新が当たり前なんですよ。アクセスするたびにサイトが変わっていないと、ユーザーは定着しないのが常識。でも、インターネット全体で見ると、更新はユーザーにゆだねて、運営側は何もしなくていいというのが当たり前だった。僕らは、いってみれば、iモードの常識を全部パソコンに持ち込んだんです。

ニコ動を形作った「エンジニアの妄想」

2ちゃんねるの実況みたいなものを映像と組み合わせれば、きっとおもしろいなっていう構想が、最初からありました。でも難しいのが、映像に文字を載っけるって邪魔じゃないですか。その邪魔さをおもしろがるのが狙いではあるんですけど、僕はそれをデフォルトにする勇気は全くなかったんです。だけど、エンジニアが勝手にそれをやったんですよ。文字を画面に重ねるモードしか作らなかった。「ふざけんな!」って話をしていたんだけど、1週間ぐらい様子を見てみると、案外ハマって。

もともとは、いろいろな機能を次々と実装して、その中で人気をとろうと思っていました。永遠に変わり続けて、ユーザーを混乱させるくらいのサービスを作ろうと思っていたんですけど、最初の機能でヒットしちゃった。だから、これでいこうと(笑)。当初僕たちが想像していた形ではなかったですが、ここで勝負しようという気になったのは、ある種、エンジニアの良い妄想があったからですね。

「帰属意識」が強いサービスになった

ニコ動は、一時はすごく宗教的なものになっていたなと思うんです。ネットサービスで、こんなに帰属意識が強いユーザーが誕生した歴史って、僕はあまりないと思います。ツイッターのアカウントにもニコニコをつけたりだとか、車のナンバープレートを2525にしたりだとか。そういう意味では、ある種の文化的な居場所、自分たちの場所だと思えるものを作れたんだと思うんです。

ネットのコミュニティーは、基本は、流行り廃りがありますから、永続はしないんです。だけど、ある時代においてはニコ動はネットの世界で決定的な役割を果たすことができた。それをまた、新しい場所、新しいやり方、時代の流れに応じて、2度、3度と再現したいと思っています。

「超会議」はユーザーへの恩返し

プロに比べてみれば決してうまくはないかもしれないけれど、ユーザーが、若い世代をプロの人ができないぐらいに熱狂させている現実。そういう場が作れたことに関して、ユーザーに恩返ししたいなと思うようになったんです。しかも、その当時は、まだそこまでネットの文化が認められてないですから、世の中に強制的に認めさせるくらいの場所を、僕たちの手で作るのが使命だと思いました。それで始まったのが現在の「超会議」で、超会議になる前は、大会議っていう名前でやっていました。

出発点は、みんなから馬鹿にされるネットの文化は、実は素晴らしいものだっていうこと、そういうことをちゃんとプロのように演出して見せてあげようということです。それは僕らからすると、ある種のユーザーに対する恩返しだったんです。

ネットという〝新大陸〟で生きる人の側に、立ち続ける

ネットって、新大陸だと思っているんです。新大陸に最初に行くのは、現実社会

に居場所がなかった人たちなんですよ。そこが未来の人類の中心地になるわけですけど、世の中に認められるには時間がかかります。その過程の中で先駆者は迫害されたり、ひどい目に遭ったりする。

僕らは、バーチャルな新大陸で生きる人たちの側に立って、いろいろとやる会社だし、そうであり続けていきたい。これから人間はバーチャル空間に住むようになるんですよ。ビジネス寄りの人たちはバーチャル空間に現実社会のコピーを作ろうとしているけど、僕らはそうじゃなくて、バーチャル発の新しい文化を、むしろ現実社会側にも提供できたらいいなと思いますね。

Chapter 4

ネットが手のひらにやってきた！

平成１１年
（１９９９年）
〜
平成１９年
（２００７年）

⑧ iモードと日本のモバイル史

iPhoneが日本に上陸する9年前の平成11年（1999年）。日本では、世界に先駆けて、携帯電話などからネットにつなぐ「モバイルインターネット」が誕生しました。

その先陣を切ったのが、NTTドコモの「iモード」。当時大学生だった女優・広末涼子さんのCMも話題になりました。

さらに、au、J-PHONE（現ソフトバンク）など各社もネットサービスに参入。平成17年（2005年）には、パソコンでネットをする人の数を、携帯電話などの移動端末を使う人の数が上回りました。

もともと携帯電話は、昭和54年（1979年）に世界初の自動車電話サービスとして開始されたのが始まりです。その後、昭和60年（1985年）に、タレントの平野ノラさんが「しもしも?」というネタで使っているショルダーホンが登場。昭和62年（1987年）に、初めて「携帯電話」と称される端末が登場し、ビジネスマンから徐々に利用者が増え始めます。

そして、90年代後半になると、女子高生を象徴するアイテムとして、ドラマや漫画で頻繁に使われるようになり、ストラップをつけたりデコレーションしたりなどファッションの一部としても注目されていたのです。

ポケベルがきっかけで生まれた「絵文字」

ｉモードを発端に、携帯電話は日本独自の進化を遂げました。いまや当たり前になった〝写真付きケータイメール〟も、日本で生み出された世界初のサービスです。J-PHONEが「写メール」と銘打ってサービスを始め、大ヒットしました。

また、豊富な〝絵文字〟も日本で誕生しました。ｉモードのリリースに合わせて、１７６種類の絵文字が提供されたのです。いまでは無数にあり、やり取りに欠かすことのできなくなった絵文字ですが、その開発のきっかけには、ケータイ以前に流行っていたポケットベルが大きく関わっていたといいます。

「ポケベル」の愛称で親しまれたポケットベルは昭和43年（１９６８年）に電電公社（現在のＮＴＴ）がサービスを開始しました。最盛期の平成８年（１９９６年）には、契約数が１０００万を突破。割り当てられた番号に電話すると呼び出し音が鳴ったり、数字や文字が表示されました。90年代には「おはよう」を「０８４０」、「愛してる」を

「14106」など数字の語呂合わせでメッセージを送る「ポケベル語」が流行し、女子高生を中心に一気に若者たちに利用が広がっていました。

★絵文字の生みの親・栗田穣崇（しげたか）さんに聞いてみた

当時、ポケベルにはハートの絵文字だけがあったんですね。「88」って入れるとハートの絵文字が送られるようになっていたんですけど、これがその世代ではすごく多用されていた。ハートをつけるだけで文章がとたんにやわらかく、ハッピーになるんですね。だから、とにかくなんでもハートつけとけっていうくらい、ハートをつけて送り合いをしていました。

ただ、ドコモがポケベルの仕様を変えて漢字を送れるようにしたときに、なぜかハートを取ってしまったんですよ。すると、高校生とかが一気に東京テレメッセージに機種変更し始めた。その流れを、私はちょうどi-モードを開発しているタイミングでまざまざと見せつけられて、なるほどと。

それなら、ハートだけでなくて、もっといろんな感情を表せるようなものを取り入れようと思いました。iモードのメールを使っている人がみんな同じ絵文字をやり取りすることができれば、もっとコミュニケーションが円滑になるし、何より楽しいんじゃないか。それはiモードの武器になるんじゃないか、と考えたんです。

絵文字文化はなぜ育ったのか？

ハートマークの大切さを痛感していた栗田さん。だからこそ、最初から4種類ものハートマークを作ったんだそうです。

いまや世界中でコミュニケーションの手段として使われるようになった絵文字。「Emoji」という言葉自体も、「Sushi」や「Sumo」などと並んで世界共通語になっています。

栗田さんが最初に考えた176種類の絵文字は、コミュニケーションを革命的に変化させたデザインとして、平成28年（2016年）、ニューヨーク近代美術館（MoMA）に収められました。

一方、絵文字誕生のきっかけとなったポケベルは、携帯電話の爆発的普及に伴い、利用者が減少し、令和元年（2019年）にサービスを終了しました。インターネット以前から半世紀にわたって人々をつなげてきた歴史に幕を下ろすことになりましたが、その文化は、いまも息づき、世界に大きな影響を与え続けています。

宇野　なんで「絵文字」が日本で育ったのかって考えるとおもしろいですよね。漢字のような表意文字を使う東アジアの文化圏から出てきたのは自然なことのように思えますし、日本のキャラクター文化とも親和性が高いように思えます。

堀江　メッセージアプリの「スタンプ」が流行ったのも同じ流れですよね。メッセージアプリの元祖ってアメリカの「ワッツアップ」なんですよ。フェイスブックが買収したワッツアップ。iPhone の登場直後くらいからありました。

それにインスパイアされて「カカオトーク」ができて、さらにインスパイアされて「LINE」ができた。

でも、スタンプを流行らせたのはLINEです。フェイスブックメッセンジャーとかワッツアップでは、あんまり盛り上がっていない。絵文字とかスタンプの文化は、完全にアジア的なものだと思います。

iモードの本当にすごかったところ

堀江　僕は、絵文字はそんなに重要じゃないと思っています。

iモードのとにかくすごいところは、最初からパケット通信に対応しているモバイルネットワークだったというところです。もともとドコモの「パケット網」というのがあるんですが、それをそのまま使えた。

モバイル、ケータイが世界で普及していくと、「ケータイでインターネットやろうよ」という意識は当然出てくるわけです。「メールを使えるようにしよう」とか「ブラウザを使えるようにしよう」とみんな思っていた。

そこでケータイでネットができるようにするための「WAP」という規格ができました。ただWAPは、モデムでつないでいるような感じの規格で不便だった。

iモードの何がすごかったかというと、もともとパケット通信網なのでインターネットをそのまま乗っけられるんですよ。さらに「コンパクトHTML」という、普通にホームページを作るための言語の簡略版を実装して作っていた。

iモードは、パケット通信網でそのままつながっているので、常時通信だった。当時の世界最先端の仕組みだったんです。

課金体系とNTTドコモの「失敗」

落合　iモードは課金体系が本当によくできていましたよね。いまでいうと「サブスクリプションモデル」、いわゆる定額課金です。「着メロ取り放題で月500円」など、マネタイズもうまくできていた。あれはビジネスとして素晴らしいと思いました。

堀江　なんで流行ったかというと、手数料が安かったんです。iモードって、当時12％くらいでやっていた。いま、アップルでいうと30％。「アップル税」ともいわれていますが、すごく高い。

でも、当時は実質12％くらいでやっていたので、コンテンツプロバイダーの取り分がすごく多いんですよ。88％取れるのは大きい。だから、占いとか着メロとか、当たったらガッポガッポでしたよ。

でも、このiモードが世界に広がることはなかった。

NTTはiモードを広げようとして、AT&Tやボーダフォンなど、いろんな会社に投資をしました。ただ、出資比率が10〜20％だったんです。それくらいの出資比率だと相手は言うことを聞かない。「手数料は30%がいいんじゃないか」とか、ごちゃごちゃそういうことを言い出して、結果的に全く普及しませんでした。

あれは、NTTドコモの失敗だったと思っています。

iモードは「エンタメ」が強かった

堀江　たまたま僕の会社で、iモードの最初のゲームアプリを作ったんですよ。バンダイさんと一緒にやった、大相撲でどの力士が勝つかを当てたりするゲームで大ヒットしました。

当時、iモードのメニュー画面は、いちばん上が「ニュース」で、2番目が「モバイルバンキング」、いちばん下のメニューが「エンターテイメント」だったんです。しかも、エンターテイメントのコンテンツは、「波伝説」っていう、サーファーに対して、「千葉県のいすみの波はいま腰肩だ」とかを配信するサイトと、僕らが作ったゲームの2つしかなかった。でもそれが大ヒットしたんです。

その後、「着メロ」も小室哲哉さんの曲とかを配信して、すごく流行りました。

iモードって初めは、銀行とかニュースとか、ビジネスで使われると想定されていたようなんですよ。平成11年（1999年）に広末涼子さんが出演したドコモのC

Mがあるんですけど、CMのセリフでヘアメイクの人に「メールでしょ?」って聞かれるんだけど「ううん、銀行振込」って答えてるんですよね。携帯で銀行振込ができるってことをドコモ側は押したかったんでしょうね。それが真逆で、着メロ、着うた、絵文字……ようするにエンタメで多く使われたんです。だから、サービスを広げるにはエンタメの力が大きいってことを実感させられましたよね。

★「iモード」生みの親・夏野剛さんに聞いてみた

携帯電話にインターネットをつなぐべきだ

平成9年(1997年)にiモードを開発したわけですが、その時点では、「モバイルインターネット」という概念すらありませんでした。世界で初めてモバイルインターネットのサービスとして出したのが「iモード」ですが、実は90年代は、通信業界とインターネットは正反対の概念だったんです。

インターネットというのは、誰も管理者がいない自由なネットワークとして成立していたものです。通信業界からインターネットが出てきたわけではないので、通信会社や通信機器メーカーからすると、すごく嫌な概念なんです。

ちょうど平成8年（1996年）、平成9年（1997年）は、インターネットが急に注目を浴びた時期でした。僕はインターネット業界からドコモに入ったので、インターネットを中心にした電話機を作ろうという考えを持っていました。これは世界でも例がない、最先端だったと思います。

ドコモに入る前は、インターネットのベンチャー企業の副社長をしていたんですが、その段階でのいちばんの課題は「パソコンのコストの高さ」と、それから「ウィンドウズOSの設定の難しさ」でした。この2つがインターネット普及の大きなネックになると思っていました。ちゃんとした知識がある人じゃないと、インターネットに接続すらできない時代だったんです。

これを解決するためには携帯しかない、と。携帯電話からインターネット接続できれば、一気にすべての問題が解決すると思ったのです。

90年代後半は、ポケベルでメッセージを送るとか、PHSでメッセージを送るというのが、女子高生のあいだでものすごく大きなブームになっていた時代です。それを見ていて、携帯にインターネットをつなげれば、相手のデバイスは関係なく世界中にメッセージが送れるので、これは絶対にヒットするはずだと確信を持っていました。

「インターネット」を中心にすべて考えた

携帯電話はつねに身につけるものなので、お財布の中に入っているようなもの、つまり、クレジットカードや現金、ポイントカード、チケット、こういった機能もすべてiモードに入れたいと当初から思っていました。

携帯電話がインターネットにつながることの可能性は無限にあると思っていたんです。とにかく携帯電話1台持っていれば、どこでも生活できる世界を実現させる。そうすれば、携帯電話の会社としてもいいし、何よりユーザーの皆さんが本当に楽しい生活が送れるはずだ、と。

iモードの基本的な戦略は、「とにかくインターネットを中心にすべてを考える」ということでした。よって、電話の機能もビジネスモデルもすべてインターネット型に持っていこうとしました。技術も、インターネットで通常使われているような技術を、なるべく携帯の中に入れていくのがiモードの基本精神でした。とにかく、これは「通信サービス」ではなくて「インターネットサービス」なんだということに重きを置きました。

iモードの原形はインターネット型の通信サービスです。つまり、電話会社が自分のサービスとして提供するものではなくて、あくまでも通信会社は「ゲートウェイ」として、「インターネットと電話機をつなぐ役割」をするだけ。たとえば通信会社は、コンテンツやアプリケーションを絶対に提供してはいけない。これがインターネット型のビジネスモデルなんです。

もうひとつ大きな問題として、「課金」がありました。つまり、どうやってコンテンツを販売してお金を徴収するかというのがまだ確立していなかったので、課金システムは通信会社でちゃんと用意しようということになりました。

たとえば音楽を1曲ダウンロードして、そのお金を払うときに、「通信料金に乗せて払う」という形をとりました。当初からiモードは課金システムとゲートウェイの機能、これに徹していたのです。

1年半で1千万台

インターネットの世界には、すごく難しい用語がたくさんあります。HTML、プロトコル、ランゲージ、アプリケーション……。ですが、マニュアルなどでそういう用語は一切使わないように心がけました。ユーザーが「新しくて難しいものなんだ」と捉えてしまうと普及のスピードが鈍ってしまうからです。

「携帯でインターネット」とも言いませんでした。インターネットがどういうものかすら当時は浸透していなかったので、「携帯電話でバンキング」とか「携帯電話で航空券を買いましょう」「携帯電話でショッピングをしましょう」「携帯電話でゲームをしましょう」といったように、コンテンツの中身を宣伝していったんです。

iモード搭載の携帯電話を発売すると、最初の半年で一気に100万台までいきました。「何が起こっているんだ」と社会現象になりましたね。平成11年（1999年）の最初の半年で100万人。そのあとの1年間で900万人もユーザーが増えて、1年半で1千万人に到達した。ものすごいスピードで普及していったんです。

正直いうと、想定以上でした。そんなに早く1千万人に届くと思っていませんでした。3年かけて1千万人くらいいけばいいかなと思っていたくらいですから。──躍PCベースのインターネットユーザーよりも、モバイルインターネットユーザーのほうが多くなってしまった。それが平成12年（2000年）のことです。

そこまで受け入れられた要因は、ひとつは「コンテンツの良さ」をきちんとお伝えできたこと。もうひとつは「身近な端末、つまり電話機でできるようになった」ということ。そして「操作が簡単だった」ということに尽きるでしょう。

iモードでやりたかったことが、iPhoneで実現された

新しいサービスとして「モバイルインターネット」のサービスを立ち上げるというのは、ドコモの社内がいちばん理解していなかったんです。電話機といえば音声が主体だろう、という意識がまだ強かった。だから「様子見」ですよ。別に手伝わないわけじゃないけど、特別に協力するわけでもない。

しかし、開発が難航したのは、大きくヒットしたあとでした。

半年で100万台売れると、目の色が変わってきます。最初の3年ぐらいは、僕たちが設計したサービスで一気に盛り上がったものの、5年くらい経ってくると、今度はだんだん、いろんな「いちゃもん」が入るようになるわけです。

ようするに、会社の中でiモードがメインストリームになると、だんだん動きが鈍くなり、僕らだけでは決められなくなるのです。

思いどおりの開発計画を、なかなか好きにやらせてもらえない。存在が小さくて、成功する過程ではわりと好きなようにやらせてもらえていたものも、大きくなってしまうと、今度はいろんな物言いをつけてくる。これがやっぱり、最後は厳しかった。

インターネットの世界のスピードに合わせて、もっと自由に、もっと開発スピードも上げていきたい。なのに、できない。

たとえば、「電話機の価格はこれ以上上げられない」という意見が出ます。実際にはそのあとスマホが出てきて、価格はさらに上がっていくわけですが、当時は「もっと安く抑えるべきだ」という意見が強かった。

ユーザーさんの心に刺さるサービスというのは、「合議制」では作れないんですよ。信念を貫き、信じていることを試した結果、大当たりが出たり、大はずれが出たりする。それを事前に相談して「みんなこれでいいよね」と合意をとると刺さらないものになる。だから、大きくもヒットしないし、大きくも失敗しない。サービスが大きくなって、成功してからのほうが難しいというのは、日本特有の現象でもあると思います。

スマホの誕生に伴って「i-モードがスマートフォンに駆逐された」という見方をする方も多いですが、僕はそう思いません。

僕が思うのは、iPhone によってi-モードが駆逐されたのではなくて、iPhone によってi-モードがやりたかったことが実現された、ということです。

まず、メール。それから、アプリ、音楽のダウンロード。これらは全部ガラケーで実現したことです。ガラケーで実現していたことを、さらにいい技術を使って、より大きな容量の通信で速く便利にできるようにした。ですから、要素技術からしてみると、ほぼ一緒なんです。

夏野さんが開発したｉモードは携帯電話の世界に日本独自の進化をもたらし「ガラパゴス携帯」（ガラケー）という言葉も生み出していきます。そして、平成20年（２００８年）には、携帯電話の契約数が1億台を突破し、国民ひとりに対して「ケータイ１台」という勢いで普及していきます。

こうした中、海の向こうのアメリカでは平成19年（２００７年）、その後のインターネットはもとより私たちの日常を大きく変えることになる画期的な携帯電話端末が誕生していました。

Chapter 5

黒船「iPhone」の衝撃

平成２０年
（２００８年）
〜

⑨ 孫正義とスティーブ・ジョブズ

iモード、写メール、着うたフルなど独自の文化を築いてきた日本の携帯電話。

しかし、平成20年（2008年）。その文化を一気に覆す新たな波がやってきます。

携帯界の〝黒船〟・iPhoneが日本に上陸したのです。発売初日、ソフトバンクショップ表参道店には1㎞もの大行列ができました。

視聴者の方からも、「パソコンと同じ世界が手のひらの中で見られることに感動」「説明書がないのに、使いやすくて驚いた」という声が寄せられました。

日本で最初にiPhoneを発売したソフトバンク。その裏に、会長・孫さんのある秘話がありました。

アップルがiPhoneを発表する2年前。

孫さんは、スティーブ・ジョブズ氏のもとを訪ねました。当時、直感的な操作で人気を集めていたアップルの音楽プレイヤー・iPod。「これに電話の機能をつけてはどうか？」とアイデアのスケッチを見せたのです。すると……。

「マサ、君の下手なスケッチなんてくれなくてもいいよ。僕には自分のがあるからね」

このときすでにジョブズ氏はiPhoneを考えついていたのです。

孫「じゃあ、あなたの製品ができたら、日本用に僕にくれませんか？」

ジョブズ「誰にも話していないのに君が初めて会いにきた。だから君にあげよう」

これがソフトバンクが最初にiPhoneを扱うきっかけとなったのです。

その後孫さんは、iPhoneを発売するため、通信会社ボーダフォン日本法人を買収。平成20年（２００８年）の発売にこぎつけたのです。

さらに、グーグルがAndroidスマートフォンを発表するなど、スマートフォンが続々と登場しました。

一方、日本の携帯電話は、〝テレビが見られるワンセグ〟〝スポーツや音楽に特化した携帯〟、さらには〝ソーラー携帯〟〝フレグランス携帯〟など、多機能化を極める道を選択していったのです。しかし、ユーザーからは次第に「多機能だけど使いにくい」と評され、影を潜めていきます。ガラケーは、平成26年（２０１４年）には、世帯保有率でスマホに逆転され、平成28年（２０１６年）には、ｉモード携帯の出荷も終了。一世を風靡した日本独自のモバイルネットワークサービスは、iPhoneに代表されるスマートフォンにその座を明け渡す形で幕を下ろすことになりました。

ジョブズの功績はiPhoneを「フォン」と名づけたこと

堀江　iPhoneの登場こそが世界をガラッと変えたと思っています。

スティーブ・ジョブズの伝記の映画によると、実は彼はiPhoneの原形を発売の20年近く前に、すでに作っていたんです。「ネクストキューブ」という、めちゃくちゃかっこいいキューブ型のデバイスです。

それには世界で初めて「ディスプレーポストスクリプト」という、画面上で文字が滑らかに表現される技術が搭載されました。それ以前のパソコンの時代は文字がジャギジャギした、ドット絵だった。それがいまのように滑らかになったのは、この技術のおかげです。

あれを初めてパソコンの画面上に出したのが「ネクストＯＳ」というもの。そのＯＳが実はいまiPhoneで動いているんです。

最近まで「オブジェクティブC」というめちゃくちゃ扱いにくい言語、プログラマーにとってクソ言語が使われていたんですが……。ようするにネクストOSを手に入れたというところがひとつのポイント。

もうひとつのポイントは、このデバイス自体を「電話」と名づけたことです。当時、こうした電話以外の機能を持った携帯のことをフィーチャーフォンと言ったりしていました。なので、こうしたパソコンの機能が搭載されたiPhoneをたとえるときに使われたのが「パソコンが手のひらに来た」という言い方でした。「PDA(パーソナル・デジタル・アシスタント)」とも言っていた。訳すと携帯情報端末ってことだね。

でも、iPhoneは「フォン」つまり「電話」とたとえた。この「パソコン由来の端末」ということじゃなくて、「電話由来の端末」なんですよ、というように言葉を選んだことがすごい。

あと、スマートフォンって日本語に訳すと、多機能電話みたいな意味になるんだけど、そういいながら実は電話って、いろんなアプリがいっぱいある中のアイコンのひとつに過ぎないでしょ。つまり、電話って、それほど大きな存在じゃなくて、アプリのひとつでしかないのです。むしろただのアイコンなんですよ。

つまり、電話はスマートフォンにおける「ワンオブゼム」な存在に過ぎないのに、ジョブズは、この携帯端末を「電話」と表現したほうがみんな使いやすいだろう、初めて聞いた人にも受け入れられるだろう、と思ってこのネーミングにした。これだから、都会の若者だけじゃなくて、田舎に住んでいるおばあちゃんにも、一瞬で伝わったと思うんですよ。

スティーブ・ジョブズの最大の功績は、このデバイスに「フォン」という名前をつけたことだと思っています。

落合　僕は大学でユーザーインターフェースの分野を教えています。これまで「ユーザーインターフェースデザイン」といっても、あまり伝わらなかったんですけど、スマホアプリが出てくると、「ユーザーインターフェースを設計するってこれね」とわかってもらえるようになりました。ピンチしたり、アウトしたり、画面設計したりするのがグラフィカルユーザーインターフェースだと理解されるようになったんです。

いままでは工業製品としてボタンを配置したり、ハードウェアを作ったりしないとユーザーインターフェースを作れなかったんですが、それらが全部「ソフトウェア化」した。ボタンを指で押したり、広げたり、画面のどこに配置したり、それを描画ソフトで描いて、切り出して、それでプログラムを書いてはめて、みたいなことが誰でもできるようになって、急にプログラマーがおしゃれな職業になったんです。

よくうちの子どもが戸惑っているのはテレビの画面はスワイプもできないし、ピンチ、ズームもできないこと。スマホで普及したマルチタッチインターフェースにはそのくらいのインパクトがあります。

宇野 ちょうどジョブズがスマートフォンを準備していた頃に、日本メーカーって何をしていたんだろうって思ったんです。で、思い出したのが「ソニー」のことですね。当時「ソニー」が一生懸命何をやっていたかといえば、「PSX」です。テレビに超高性能のゲーム機というか、実質的には扱いやすいパソコンをつなげることで他の家電の類も制御させて次の時代の家庭生活の中心に置こうと考えていた。ようするに当時ソニーはまだお茶の間の時代が続くと。つまり職場や学校から帰ると、人間はいままでどおりテレビの前に集まって過ごすと考えていた。これは、完全に間違っていた。

有名な話ですが、昔『ドラえもん』に「おこのみボックス」という道具が出てきました。手のひらサイズのただの板なのですが、「レコードプレーヤーになれ」と言ったらレコードプレーヤーになるし、「カメラになれ」と言ったらカメラになる。

これ、いま見るとどう考えても、スマホにしか思えないんですよ。藤子・F・不二雄さんはそのずっと前にスマホ的なアイデアにたどり着いていたのだけど、ソニーはたどり着けなかったわけです。

「メイド・イン・ジャパン」日本メーカーがなぜダメになったのか？

落合　スマホでおなじみの、静電容量式のマルチタッチの技術などを発明したのは、僕の博士課程の指導教官だった暦本純一先生という方なんですが、先生はソニーCSLに所属していたんですよ。だからソニーは、内部技術としてはそれらの技術を持っていたんです。

宇野　だから、日本はその技術を持っていたのに、21世紀のライフスタイルやワークスタイルがこうなるというビジョンの部分が不足していたせいでできなかった。21世紀のライフスタイルに関しての考察が、主流派は間違っていたんです。

堀江　僕は完全にそう思っていたから、平成17年（2005年）にソニーを買収しようと計画をしていたわけです。僕がやりたいことを全部持っているから。あとは考え方だけだった。

僕はｉモードのいちばん初めから関わっているし、インターネットも最初期からずっと触っているから、肌感覚で「何が必要なのか」はわかる。iPodが出てきたときも、iPodの対抗馬は「ネットワークウォークマン」といわれていたんだけど、思想が根本的に違うんです。同じことができるんだけど、設計思想が全く違う。

iTunesでＭＰ３が再生できること、ダウンロードして再生できることが大事なのに「著作権管理がどうのこうの」みたいなところばかりに議論がいってしまう。アップルは音楽会社を持っていません。でもソニーは子会社に音楽会社を持っていた。コンテンツ会社、ソフト会社を持っていたということが、実はアダとなって、ダメなパターンにいく要因でもあったんじゃないかと思っていますね。

スマホができたことでIoTの礎ができた

堀江　スマホにはＧＰＳとかジャイロ（回転や向きを検知するセンサー）、加速度センサーが入っています。いまは、コンパスも、高度計みたいなものもついている。センサーというセンサーが、なんでも入ってるんです。

で、こんな端末を世界中に向けて、何億台、何十億台と作るわけでしょう。これで何が起きたかというと、部品のコストが激減した。ジャイロなんかもめっちゃ高かったのが、何十円、何百円の部品になった。

任天堂の「Wii」もWiiリモコンに加速度センサーがついていましたが、拡張パックでジャイロをつけたりしなくてはいけなかった。

でもiPhoneにはあらゆるセンサーが入っているから、そのことによって、部品代も大幅に下がったので、ドローンみたいなものが比較的安く手に入れられるようになって、さらには自動運転車も生まれたわけです。だから、スマホからすべてが始まっているんですよ。IoTはスマホありきの、ものすごい革命なのです。

でもね、日本では、PDAと呼ばれる携帯情報端末から、ウィンドウズと連携する電話まで、いまのスマホに近い機能を持ったものが作られていました。「W-ZERO3」とかあったじゃないですか。

でも、これも「PDA」などと言っているから、大衆に受け入れられなかったんです。パソコンが好きなやつのものでしょってイメージしか持たれなかった。だからこそ「iPhone」という名前が発明なんです。あのネーミングは大きな発明です。

もうひとつは、iPhoneはガラスを使ったことも大きいと思っています。「ゴリラガラス」というガラスを使用した。日本のPDAは全部プラスチックでしょう。操作性がすごく悪いんです。これまでの感圧式から静電容量式になったことで、滑らせることができるようになって、手触りも良くなった。

ただこれも実は、技術的には昔からある技術なんです。ガラスの結晶は、通常はカルシウムなのですが、カルシウムの分子をカリウムに変えると、カリウムのほうが若干大きいのでギュッとしまる。するとこ落としても割れにくくなるわけです。

ただ、落としても割れにくいガラスには使い途がなかった。持て余していた。割れにくいガラスは30〜40年前の発明で、コーニングという会社ともう1社が持っている技術でした。そのゴリラガラスがiPhoneで初めてのメジャーデビューを果たした。まるでこのために生まれてきたかのようなものですが、実はずっと前からあったのです。センサー自体も、発明されたのは2000年代です。

これらの技術を総結集して作ったら、1台1000万円以上して、全然売れなくて大失敗したのですが、やりたいことは実は「ネクストキューブ」でほとんどやっています。違うのはタッチパネルくらいでしょう。いまユーザーインターフェースを見てもほとんど一緒です。

技術オリエンテッドではうまくいかない

堀江　そう考えると、「日本は実はいいとこまでいってたんじゃないか」と言う人も結構いるんですけど、はっきり言って、全然違います。

日本は技術ありきで商品を開発する「技術オリエンテッド」だった。でもそれだとうまくいきません。よく技術者が「俺はこういう技術を持ってるからこういうものができるんですけど、どうですか」と言うんですが、ユーザーは「は？」みたいな感じになってしまうわけです。

本来はユーザー目線に立って、「こういうのが欲しいんだよな」というところから作らないといけない。技術というのはだいたいあるものなんです。

インターネットの考え方でいくと、たとえばテレビだって、これはブロードキャストする動画コンテンツという意味で、アプリケーション層のひとつのアプリでしかないんです。

電話も実は、アプリのひとつとして捉えると、「同期通信しかできない音声アプリケーション」っていう、あまり便利なものじゃない。相手の時間と自分の時間を共有しないと電話ってできないですから。でも、メッセンジャーだと相手と時間を合わせる必要がないんです。お互いの隙間時間に、やり取りするだけでいい。ようは5分後とか10分後に知られてもいいことは、メッセンジャーで済ませればいいわけじゃないですか。

たぶんね、いまは電話よりもメッセンジャーのほうが利用時間は長いと思いますよ。使われる頻度とかもね。

落合　設計思想という観点で考えると、「物理的デバイス」と「アプリケーション」が切り離されているということもいえるでしょうね。みんなスマホという「物理的なもの」を持っている。その上にどんなアプリを載せてもいい。その意味で、スマホって設計思想的に自由なんですよね。

だから、物理的なものがいままでどうやって開発されてきたかっていうのは実は重要ではなくて、1回インフラがリセットされたから、その上に載る機能はアプリケーションとしてどんなものでもいい。どんなアプリケーションであれ、光が出力されて音が出力されて、光を入力して音を入力するというように、単純化できるんです。電話もテレビもカメラも全部そうなんですけど、「すべてがアプリケーションである」と再定義してしまったのがとても大きいんです。

堀江　技術者が考えると、スマホって「iPhone」ではなく、きっと「PDA」と言っちゃうんですよ。使う人のことを考えてるのがiPhoneの発想。使う人が使いやすいように。たとえば田舎のおばあちゃんとかが、パソコンですとか、PDAですって言われたら絶対使わないと思うんだけど、スマートフォンと言われると手に届きそうな感覚で、ギリ使ってみようかなと思う。いままで電話にかけてたお金をそのまま使ってくれます。

平成15年（2003年）にNTTドコモから発売された腕時計型のPHSがあります。電話もメールもできるし、簡単なホームページも見られる。アップルウオッチとほぼ近いようなものがあったのですが、この延長では絶対にiPhoneにもアップルウォッチにもたどり着けません。

入り口が間違っている。全くコンセプトが違うんです。

iPhoneはUI（ユーザーインターフェース）も細かい部分がすごくよくできています。たとえば写真をゴミ箱に捨てるときも、技術者だと「捨てますか？　イエス・ノー」という設計にしてしまいますが、アップルはゴミ箱の中に入れるだけ、必要なときは戻せばいいのです。ゴミ箱に入れるときにいちいち「イエス・ノー」を聞いてくるのは、技術オリエンテッドでしょう。

アップルは、昔からMacOSの開発マニュアルに「ユーザーインターフェースガイドラインズ」という分厚いものがあって、それに「ユーザーにとって使いやすいUIとは」みたいなのが全部書いてあって、アプリの開発者はこれを見なさい、ということになっています。アップルストアにアプリの登録を申請すると、「ガイドラインに一致していない」と却下されたりすることもありました。

◉コラム◉　スマホに使い倒されるな？

平成20年（2008年）にアップルのスマートフォン「iPhone」が日本に初上陸してから、私たちは四六時中楽しいものや自分の好きなものに囲まれて過ごせるようになりました。朝起きてから夜寝るまで、仕事以外の時間は「ネットニュース」「SNS」「スマホゲーム」の3つを行き来するだけの日々を送っている人も少なくないでしょう。

平成29年（2017年）の「インテージ」調査によると、ユーザー1人が、1日にスマホを利用するのは3時間14分。これを回数に換算すると、1日48回。プッシュ通知をチェックするなどで、何度もスマホを見ているといいます。また、そのうちロックを解除するのは半数近くの23回にのぼります。

単純計算すると、1時間あたり2回はスマホ画面を見て、そのうち1回はロックを解除し、何らかのコンテンツに触れていることになるというのです。現代がいかに、スマホがなくては生きられない社会になっているかを証明する数字です。

スマホの登場以前は、電車の中で新聞や文庫本、週刊漫画雑誌を広げている人を多く見かけましたが、いまはほとんどの人がスマホの画面とにらめっこしている状態です。

うちロック解除は
1日23回

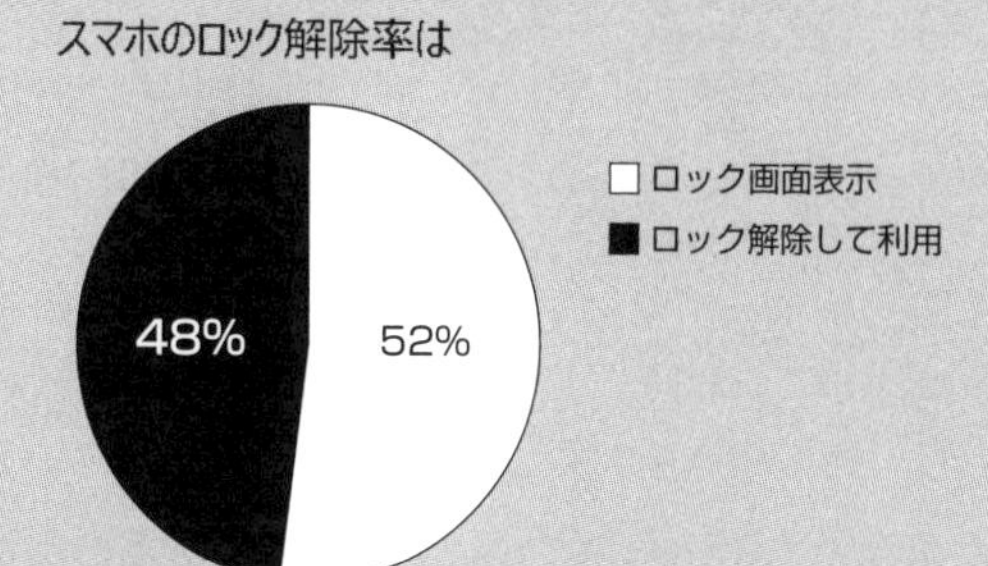

（「インテージ」調査　平成29年〈2017年〉）

また、街中の飲食店でも、動画を視聴しながらひとりで食事する人の姿を多く見かけますし、出てきた料理やデザートをスマホで撮影してＳＮＳにアップするのは当たり前の光景になりました。

その姿から感じる、「誰かと過ごすより、ひとりの時間こそが至福のとき」という無言のメッセージ。

スマホがいかにして、私たちの生活を変えたのかを調べるにあたり、番組では「スマホ１台の中に入ったもの」を書き出しました。

まず電話に始まり、カメラ、ビデオカメラ、ボイスレコーダーといった記録ガジェット。また、それらを記録しておくアルバム。さらに時計、タイマー、ストップウォッチ、アラーム、電卓も入りました。さらにビジネスパーソンには欠かせないカレンダー、スケジュール帳、日記、住所録、交通マップといったシステム手帳関連も、スマホ1台あれば事足ります。

メディア・エンタテインメントも、スマホに集約されています。雑誌、漫画、書籍、新聞を筆頭に、音楽面では、CDやウォークマン、ラジカセもスマホがあれば必要はなく、テレビ、DVD、ファミコン、プレステといったゲーム端末、ゲームボーイ、ニンテンドーDSといった携帯ゲーム端末も、すべてスマホに入りました。

その他にも、各種メンバーズカードやポイントカード、クレジットカード、チケット、定期券など、お財布の中身や決済機能もスマホで代替されつつあります。

これらを見ると、生活必需品からエンタテインメントに至るまで、スマホは身の回りのほとんどすべてを「呑み込んだ」といっても過言ではありません。逆に、スマホに置き換えられないものを探すほうが大変です。

スマホ1台だけであらゆることができる生活になりましたが、私たちがスマホに費やす時間で最も多いのは、やはりSNSです。平成12年（2000年）頃から広まり出したフェイスブックやツイッターなどを筆頭に、個人がさまざまな人とつながり、自分を表現することでふだんの暮らしを一段と楽しくすることを覚えました。

象徴的な出来事をひとつ紹介します。平成18年（2006年）、アメリカの「TIME」誌は、年末恒例の「今年の人（パーソン・オブ・ザ・イヤー）」に、読者の顔が映る鏡をイメージしたデザインを表紙にして「ＹＯＵ＝あなた」を選びました。

それまでは、著名人を「今年の人」に選んできた同誌ですが、ネットによって情報の受発信ができるようになり、もはや特定の誰かではなく、一人ひとりの個人が世界を動かす時代になったことを10年以上前に指摘していました。この出来事は、私たち個人のパワーがますます強くなっていることを裏づける歴史的な証明といえます。

その一方で、スマホは人間関係の新しいストレスを生み出しました。それが、つながりすぎるが故の「ソーシャル疲れ」です。平成が生んだ現代病のひとつです。

現代は、情報が爆発した状態であるといわれています。ＩＴ専門の調査会社ＩＤＣが発表した試算によると、令和2年（２０２０年）には44ゼタバイトの情報が飛び交うそうです。ゼタとは10の21乗。１ゼタバイトは１兆ギガバイト。もはや情報の爆発というよりも、情報の洪水です。私たちは途方もない量の情報が飛び交う時代に生きているのです。

総務省の研究結果によると、平成13年（２００１年）から平成21年（２００９年）の9年間に、メディア上を行き交う流通情報量は2倍近くにまで急増しました。しかし、実際に生身の生活者が受け止め、認識した消費情報量（つまりコミュニケーションとして成立した情報量）はわずか９％しか増えていないことがわかっています。世の中に流通する情報量に対して、ユーザーが情報を処理しきれていない、受け止めきれていないのです。

このコラムの冒頭で、ユーザー1人が1日にスマホを利用するのは、48回と紹介しました。こうした、ひっきりなしに情報が飛び込んでくる状態で、問題視されているのが「集中力の低下」です。

マイクロソフトが平成27年（2015年）に発表した研究報告によると、人の集中力は、なんと金魚の集中力を下回ったことがわかりました。一般に、金魚の集中持続時間は約9秒間だといわれています。ところが、平成25年（2013年）の調査で約2000人の脳波などを計測したところ、集中が持続する時間は約8秒間だったことが判明しました。ちなみに、平成12年（2000年）の同様の調査では約12秒間。現代人の集中力は、年々、確実に衰えているということになります。

大量の情報によって、脳が次から次へと目移りしてしまい、人間の集中力が続かなくなっています。情報の渦に飲まれて、誰もが自分を見失っている状態が現実に起こっているのです。

インターネットが誕生した初期は、「つながりたいのにつながれない」という、つながりたい欲求がありました。その気持ちは、回線速度が上がるにつれて高まっていき、回線が常時接続になった頃は、「ずっとつながりたい」という、つながっている喜びに満ちあふれるようになっていきます。しかし、いまは、好むと好まざるとにかかわらず「つながり続けてしまう」時代になってしまいました。

こうしたスマホ全盛の「つながりっぱなし」な時代においては、スマホが身の回りのツールを呑み込んでいくだけでなく、個人の時間や行動、思考までも飲み込む存在になっています。

ボーッとしていてもつながる時代だからこそ、あえて、スマホ圏外の場所に行くとか、電源を切る時間を作るなど、つながるとは何かを考えるときがきているのかもしれません。

スマホに使われず、いかに使い倒すか。

それは、まさにアメリカの「TIME」誌が表紙に選んだ「YOU＝あなた」次第ということなのかもしれません。

Chapter
6

ＳＮＳで
世界はどう変わったか

平成１６年
（２００４年）
〜

⑩「ｍｉｘｉ」登場

韓国ドラマ『冬のソナタ』が日本を席巻した平成16年（２００４年）。この頃から若者を中心に人気を集め始めたのが、「ＳＮＳ（ソーシャル・ネットワーキング・サービス）」です。

その先駆けとなったのは、〝好きなタイプ〟や〝似ている芸能人〟など、質問に答えるだけで自己紹介ページが作れる「前略プロフィール」（無数の黒歴史とともに、平成28年（２０１６年）にひっそりとサービスを終えました……）。

さらに、自分の「アバター」を作って交流する「モバゲータウン」「ＧＲＥＥ」などが登場。コミュニケーションに大きな変化が起こりました。

なかでも、多くの人にＳＮＳを広めたのが、会員から招待されることで登録ができる「ｍｉｘｉ（ミクシィ）」でした。友だちどうしがコミュニケーションする「日記」や、同じ趣味の人たちが集まる「コミュニティ」、誰がいつ自分のページを訪れたかがわかる「足あと」など、コミュニケーションしやすい機能を展開。オフ会も多数開催され、いわゆる〝ミクシィ婚〟も話題になりました。

サービス開始からわずか2年後の平成18年（2006年）には、会員数が300万人を突破し、その年の新語・流行語大賞のトップ10にも選ばれます。

★「mixi」会長・笠原健治さんに聞いてみた

mixi開発のきっかけ

mixiを着想したのは、アメリカの「フレンドスター」というSNSを見たときです。これはプロフィールをネット上に公開してつながることができるというサービスでした。当時、ネット上に自分のプロフィールや自分の友人関係を公開するのは、あまり見たことがない斬新なサービスだなと思ったんです。

ただ、つながるだけのサービスだと使い続ける理由にはならないので、どうすれば使い続けてくれるのかを考えたわけです。行き着いた答えのひとつが、「つながった人どうしがコミュニケーションするために使い続けていくようなサービス」でした。コミュニケーションを目的にすれば、きっと多くの人が使い続けていくのだろうと思ったんです。

そこで、日記機能や足あと機能、コミュニティー機能を独自に発想して実装していきました。そうやって「コミュニケーションのインフラ」を目指そうということで始まったのがｍｉｘｉです。

「ＴＯ」のない緩やかなコミュニケーション

サービスとしてスタートしたのは平成16年（２００４年）。

もちろん受け入れられるかどうか不安もありました。「友だちとネット上でコミュニケーションする」というニーズも顕在化していなかったですし、友人の友人と直接コミュニケーションするなんてことも日常では起こらないことです。ユーザーに「こういうサービスが欲しいですか？」と聞いても、ピンとこない人たちが多かった。

一定の不安はあったのですが、「会っていなくてもなんとなく友人の近況がわかる」ことには、確実なニーズがあると思っていました。もしクラスで気になる人がいたら、その子がふだんどういうことを思っているのか、どういうことを発信しているのか、そこはとても知りたいはずです。

その点、ｍｉｘｉは「新しいつながり方」を作ったといえるかもしれません。これまではメールもメッセンジャーも「TO」がはっきりしていて、基本的に「誰々に対して、私はこれを伝える」というダイレクトなコミュニケーションでした。しかしm-i-x-iではそうではなくて、ネット上でつながっている人たちにふんわりと「今日こんなことがあったんだ」「こんなことを思ったよ」と伝えられます。それを見た友人が、メッセージを返す義務はありません。応えたければ応えてもいいし、興味がなければスルーしてもいいわけです。

その緩やかなコミュニケーションスタイルのニーズを顕在化できたというのが、m-i-x-iの始まりでした。

急激に普及していった理由

ユーザー数は加速度的に増えていきました。自分たちの想像を超えて成長していくのは、当然うれしいことでした。街角でも、ふと見るとm-i-x-iを触っている人がいたり、「昨日m-i-x-iで誰々がね」と楽しそうに話す人たちがいたり。もしくは、どこかでm-i-x-iのオフ会が開かれているのを耳にしたり。みんなが喜んで、楽しそうにm-i-x-iを使っている様子を、実際に見ることができたのは、とてもうれしかったです。

ｍｉｘｉはよく「匿名のＳＮＳだ」といわれていたのですが、匿名ではないと思っています。ｍｉｘｉに参加するときは、誰かに招待されるわけですから、つながっている人たちどうしがお互いに誰なのかがわかっているのです。でも、外部の人からは誰かわからない。そういう「ほどよく隠れる」ことができる、いわば「半実名」のＳＮＳであると認識しています。

ｍｉｘｉは、友だちに招待されて、友だちの情報を見たり、友だちとコミュニケーションしたりするサービスでした。だからこそ、より一般的な人も巻き込めたと思っています。これまでネットに文章を書いて、ネットでコミュニケーションをしたことは全くありませんという人でも、ｍｉｘｉに入ってきてくれた。

それは仲のいい友だちがやっていたからです。ふだん仲のいい友だちとネットでもコミュニケーションできるということが、「リアルの延長線上」だったので、ハードルを一段下げることができた。これにより、より多くの人が日常的に使うサービスにできたのではないかと思っています。

大きな波に対抗しきれなかった

どんどん広がっていった一方で、時代は「パソコン」から「ガラケー」、「ガラケー」から「スマホ」へと変わっていきました。そんな中、フェイスブック、ツイッター、ＬＩＮＥが一気に来ました。正直、そこに対抗しきれない部分があったのかな、という気はします。

もちろんｍｉｘｉでも「スマホ化」に対応するために、新しくつぶやく機能などを追加し、メッセンジャーのような機能も強化し、プラットフォーム化を進めました。

ただ一方で、もともとｍｉｘｉが始まったのが平成16年（２００４年）。パソコンベースで始まって、時代は携帯電話に変わっていきます。サービス開始当時に大学生や高校生だった人たちも、社会人になり、環境も友人関係もどんどん変わっていったわけです。そこにはなんとなく「ｍｉｘｉの友人関係、古いよね」という雰囲気もありました。

そこでスマートフォンという新しいデバイスが出てきて、さらに「新しいＳＮＳサービスを使ってみたい」という流れも加わった。よって、ｍｉｘｉがスマホに対応していたとはいえ、「いまの友人関係で、より新しいサービスを使っていきたい」という流れにはどうしても逆らえなかったのです。

こうしているいまもＳＮＳ自体はどんどん進化しています。

自分たちとしては、その動きをしっかりと見ながら、次世代のｍｉｘｉを出していくことも、いずれやっていきたいチャレンジだと思っています。

⑪ 東日本大震災で変わったＳＮＳの使い方

ｍｉｘｉに代わる新たなＳＮＳとして脚光を浴びたのが、平成20年（２００８年）に国内サービスを開始したツイッターです。「〇〇なう」をつけた短い文章をつぶやくことが大流行しました。

そんな中、ＳＮＳの使い方が一変する出来事が。平成23年（２０１１年）３月11日に発生した東日本大震災です。

震災直後、電話やメールがつながらない状況の中、情報伝達の役割を担ったのがＳＮＳでした。電話がつながらない中で、ツイッターだけが情報を得る手段だったという人も多かったでしょう。

ジャーナリストの津田大介さんは、テレビを見られない被災者のため、官邸や東京電力などの記者会見をツイッターで実況。その手法は津田さんのツイッターアカウントをもじり「ｔｓｕｄａる」と呼ばれました。

ヤシマ作戦

東日本大震災が発生した翌日、電力不足による大規模停電の可能性を東京電力が発表、節電を要請しました。すると、ツイッター上にある言葉が登場しました。「ヤシマ作戦」です。

「ヤシマ作戦」とは、人気アニメ『新世紀エヴァンゲリオン』の中で、敵である使徒を倒すため、日本中を停電させて電力を集めた作戦のこと。この劇中の作戦になぞらえた節電協力のツイートが拡散。多くのネットユーザーが賛同し、各地で節電協力が広まったのです。

この「ヤシマ作戦」を始めたのが、『エヴァンゲリオン』に登場する組織〝特務機関ＮＥＲＶ〟を名乗るアカウント（@UN_NERV）。その中の人が、宮城県石巻市出身で当時大学生だった石森大貴さんです。石森さんはいまもこのアカウントで防災情報の発信を続けています。

★「ヤシマ作戦」を始めた　石森大貴さんに聞いてみた

自分の実家も被災をしていて、被災した状況で自分は他の被災地にすぐには助けに行けなかったんですけど、いますぐできることというのが節電だったんです。ただ節電しろというふうになると苦しい思いをしてしまいますけど、「ヤシマ作戦」に参加しているんだと思うと、ちょっとポジティブな気持ちで節電に参加できるだろうと、名前をつけてやっていました。

「ヤシマ作戦」がうまくいったのは、みんなの力だと思っています。節電アプリを作ってくれた方とか、ポスターを作って商店街に掲示してくれた方とか、それぞれの取り組みのほうがすごく重要で、本当にみんなであの運動をやっていたんだなと感じます。

当時、「ヤシマ作戦」と同じくＳＮＳ上を駆け巡った言葉が、被災地に祈りを捧げる「Pray For Japan（プレイ・フォー・ジャパン）」です。

一方で、「Hack For Japan（ハック・フォー・ジャパン）」という言葉も生まれました。ハック（＝ＩＴの技術）を使って被災者の力になれないかと、グーグル、ヤフーなど、名だたるＩＴ企業に勤める有志がツイッターを通して集結。ネット上には、わずか２日ほどで５００件ものアイデアが生まれました。さらに、１００人を超える技術者が実際に集い、炊き出し情報マップ、放射線量アプリなど、およそ１００個のネットサービスが実際に開発されました。

Hack For Japan の中心となった及川卓也さんは、「自分にも何かできるはずだ、という技術者たちの善意が集結したことで、ＳＮＳの力を再確認した」と当時を振り返っています。

⑫ 震災をきっかけに生まれた「ＬＩＮＥ」

いまやコミュニケーションに欠かせなくなったコミュニケーションアプリ「ＬＩＮＥ」も、実は、震災の教訓から生まれました。災害時、電話がつながりにくい中でも連絡がとれるようにと、震災からわずか３か月という早さでリリースされたのです。

メッセージを開封した際に出る「既読」は、返信がなくても安否確認ができるようにとつけられた機能です。

人と人のつながり方をＳＮＳが大きく変えた、そんな時代でした。

★「ＬＩＮＥ」開発を率いた　舛田淳さんに聞いてみた

ＬＩＮＥの開発秘話

ＬＩＮＥができたきっかけは東日本大震災です。あのときにものすごく困ったのが「コミュニケーションがとれない」ということでした。家族に電話をかけようと思ってもつながらない。仕事関係の人にメールを送ってもつながらない。そういう状況に陥った。

一方でつながる人たちもいたんです。それは、インターネットでコミュニケーションをとっている人たちでした。たとえばスカイプ、バイバー、カカオトーク。それらを知っている人はコミュニケーションをとることができました。当時はまだ、ほとんどの人はそれらを知らなかったので、連絡をとることができなかったのです。

災害のときにいちばん連絡をとりたいのは、地球の反対側の誰かではなくて、身近な誰かです。ここに着目をして、われわれとしては、「身近な人をつなげるための、身近な人どうしのコミュニケーションをもっとホットにさせよう」というテーマのツールとして、LINEを生み出したわけです。

LINEをリリースしたのは平成23年（2011年）ですが、構想自体は平成22年（2010年）の段階からありました。スマホのアプリでヒットを出そうと考えている中で、大きく3つのチャレンジをしていました。ひとつはゲーム。もうひとつは画像や写真系のサービス。もうひとつがコミュニケーションやコミュニティーのサービス。

そのときはコミュニケーションサービスのプライオリティーは高くありませんでした。ですが、「どうしようか」と考えていたところ、震災が起きました。「これはすべてのプロジェクトを止めてでも、このメッセンジャーのサービスをやろう」と決断したわけです。これが、のちに「LINE」という名前になります。

決断をしてからは、約1か月半でiPhone のアプリ、Android のアプリ、そしてフィーチャーフォンのサービスと3つを立ち上げました。いまとなれば、相当集中して作っていて、もう二度と、あのゾーンに入った状態は出せないかもしれません。

まさにそれは、私たちの想いと、時代のトレンド、社会的な背景を含めて、国民的なメッセンジャーサービスが求められていたからだと思います。

短期間で作ったモチベーション

1か月半というのは、アプリを作る期間としては相当短いです。それでも実現できたのは、いくつか大きなモチベーションがあったからです。

ひとつは、まだ私たちにヒット作がなかったこと。数十万人が使うサービスはあっても、数千万人が使うようなサービスは作れていなかった。ヒットへの飢餓感、ハングリーさがあったのです。

もうひとつは、余震も続いていて原発の問題もあり、いつなんどきまた何が起こるかわからない。よって、1秒でも早く作らなければいけないと感じていたからです。あのとき、日本中の人たちが「いま自分に何ができるのか」を問いかけて行動したと思いますが、私たちがたどり着いたのが「そのサービスを1秒でも早く作る」ということでした。

さらには、これはあまりいいプロジェクトの管理のしかたではないのですが、「いつまでに作るんだ」というのを決めたからです。まず締め切りを決めて、そこに向かってみんなが集中していったわけです。

「電話帳機能」が普及の後押しになった

LINEがなぜここまで広まったのかを考えてみます。

ひとつは、スマートフォンが普及するタイミングであったこと。そして、コミュニケーションは万人に必要だったということ。

そして、もうひとつは「コミュニケーションの質」かもしれません。

たとえば、いままでのインターネットサービスというのは、知らない誰かと知らない誰かを何らかのルールによってマッチングさせるものが多かったです。「映画が好きな人」「釣りが好きな人」とか、そういったコミュニティーが中心でした。

私たちが実現したかったのは「身近な人どうしをもっと近づけたい」というもの。サービスの「コアの価値」は、身近な人をどうやってメッセンジャーでつなげるかということでした。

そこで方法としてとったのが「電話帳」だったのです。

サービスを作る前にアンケートをとったのですが、他人にいちばん知られたくない情報のひとつが電話番号でした。ということは、電話番号を交換している人は身近な知り合いであると考えられます。

よって、電話番号を交換している人とはすぐにコミュニケーションできるようにしたわけです。LINEを使い始めていただいたときにいちばん驚かれたのは、知り合いがたくさん出てくるということでした。何もしなくても、アプリを立ち上げるたびにどんどん知り合いが増えていくわけです。

LINEが普及したいちばんのポイントは、自分の知り合いとコミュニケーションをとることができる。そして、何もしなくても知り合いが出てくるということだったのではないかと思っています。

LINEの「既読」と「スタンプ」

これまでメールには「タイトル」をつけていたと思うのですが、そうではなくて、実際に向き合って話をするようなスピード感でコミュニケーションができるようにと考えました。そこでチャット形式にし、「既読」という機能をつけたのです。

「既読」をつけたのには理由があります。ひとつは、実際に話をするようなスピードでコミュニケーションをとってほしいということ。もうひとつは、震災を契機に作っていたこともあり、安否確認としての要素です。

実際、熊本地震のときにも、安否が確認できなかったときなどに、返事はないんだけれども「メッセージは届いたよ」という安心感が得られた、という話を聞きました。そこで既読という機能を入れたわけです。

LINEのもうひとつの特徴は「スタンプ」でしょう。スタンプを作った理由は、簡単にいうと、LINEを使って「雑談」をしてほしかったからです。身近な人どうし、家族や友だちとのカジュアルなコミュニケーションをもっと活性化してほしかったんですね。

日本にはもともと「絵文字」や「デコ文字」などがありましたので、これをベースに、どういう形であればスマホらしい、LINEらしいコミュニケーションアイテムができるんだろうと考えました。あるときはコミュニケーションを引っ張るような、ある種ネタになるようなものを作りたいということから、いろんな試行錯誤の結果、いまの「スタンプ」というものが生まれたわけです。

そのおかげでLINEのコミュニケーションはどんどん活性化していきました。スタンプがあることで、日本だけではなく世界中で活性化していったのです。

震災がネットに与えた影響

森永　震災のときのネットの記憶でいうと、アマゾンの「ウィッシュ（欲しいもの）リスト」を使って、被災地の方が「いまおむつが足りない」「缶詰が足りない」ってオープンにしていました。すると、全国の人が送ってくれる。このリストをアマゾンが開放してくれたのは結構大きかったなと思います。

落合　その頃に、ちょうど僕は、クラウドファンディングのサービスの立ち上げの手伝いをしていたんです。クラウドファンディングってそのちょっと前に「キックスターター」とか有名なサイトが海外で出てきて、日本も出始めた頃だったんです。

堀江　当時、「ジャストギビング」って寄付を集めるサイトがあって、そこでたぶん7000万円くらい集めたんじゃないかな。僕は最初に100万入れただけですよ。100万入れたら、それこそ有名人、浜崎あゆみさんとか、そういう人たちがバーッて、「いくら入れればいいの？」みたいな感じで競って、何百万とかって入れてくれた。

震災によって「もうひとつの世間」ができた

宇野　震災のときに、特にツイッターが一気に普及していって、僕はこのときこの国にもうひとつの「世間」ができたと思うんです。

それまでなんだかんだいって、日本社会ってニアリーイコール「テレビ」だったんですよ。テレビで流れている話題を共有しているのが日本社会だった。それが、ここでツイッターが日本のインターネットの中心になっていってひとつの大きな村が出てきた。そして、ツイッターの空気がもう1個の世間の空気になっていったんですよね。

このことによって、中央から発信されるマスコミの情報を受け取ることだけで人々がつながるんじゃなくて、人々が勝手につながることが簡単にできるようになっていって、しかも、それが全国規模で広がっていった。だからこそ、クラウドファンディングひとつとってもどんどん成功事例が増えていったことは間違いない。

しかしその一方で、インターネットって、バラバラなところが良かったところも、あると思うんですよね。基本的には「中心」がないせいで「他人は他人、自分は自分」というスタンスのほうが支配的だった。

震災後に「不謹慎」ってワードをたくさん見かけましたよね。あのとき、日本のインターネットが「ひとつの巨大な相互監視の村」になってしまった。「ヤシマ作戦」のようないい話がある一方で、デマや風評もかなり広がりましたよね。なかには「東日本大震災はそもそも北朝鮮の地震兵器である」なんてものまであった。

特にひどかったのが放射線デマです。当時、実際に調査も進んでいなくて、放射線被害の実態はよくわからなかったんだけど、この「わからない」という現実から目を背けたいという願望に負けてしまったり、あるいはこれを時の権力を批判する材料にしようと考えたりとか、そういう理由から、尾ひれを何枚もつけてしまったような「放射線デマ」がどんどん流れていきました。あれから何年も経ったいまでも、こうした誤情報のために福島にはすごく苦しんでいる人たちがいるわけですよね。

震災のタイミングで、「テレビ村」と「ツイッター村」という2つの村でやっていくのが日本社会になってしまった。

テレビ的な「紋切り型社会」とツイッターの「ツッコミ型社会」。この2つは、一見対立するようでいて、実は共犯関係を結んでいます。テレビのワイドショーや週刊誌が「あいつが失敗したぞ！」と号令をかけると、それをツイッターのやつらがどんどん叩いて、あいだに入っているネット業者はPVで稼ぐといった構図ですよね。これでいいのかって、思います。

森永　ｍｉｘｉの頃くらいまでは、ＳＮＳって「バーチャル」な存在だったように思います。たとえば、ＳＮＳなどのネット上でのやり取りがきっかけで知り合った人と結婚した人が、「特殊な人」のように思われていた。

それが、震災のあと、それこそ政府がツイッターのアカウントを作ったりとかして、公式の情報もそこで出るようになった結果、ＳＮＳの中が実はバーチャルじゃなくなって、あそこも「リアル」だよねってなったのが、すごく大きな変化だったのかなと思います。

◉コラム◉　ＳＮＳが変えた私たちの意識

平成のあいだに、コミュニケーションのツールは、電話、ポケベル、ケータイ、Ｅメール、チャット、ショートメール、スカイプ、ＬＩＮＥ、ＳＮＳ、メッセンジャーアプリなど、次々に進化してきました。それに合わせて、私たちのコミュニケーション感覚も変化してきました。情報の伝え方や届く範囲が、飛躍的に速く、大きくなる中で、何が本質的に変わったのでしょうか。

そのひとつは、直接言葉を交わして話すことから、書くことに変わったということです。相手と時間を合わせて、顔と顔を合わせて言葉を交わすことより、自分の都合の良い時間や、相手の都合の良い時間に配慮して、書き言葉で伝える方向に変わっていったのです。

さらに、その書き言葉も「オッケー」から「おけ」、「了解！」から「り」などと、打ち込む文字数が省略されていき、究極は文字から絵文字、アスキーアート、そしてスタンプにまで簡略化されていきました。

もうひとつの変化は、自分自身の評価ではなく、他者からの評価を強く意識するようになったことだと指摘する意見があります。コラムニストの小田嶋隆さんが興味深い指摘をしているので紹介します。それは、平成28年（2016年）の5月に話題になった女性雑誌「ドマーニ」の見出しに込められているといいます。

その見出しは、〈だって「幸せそう」って思われたい！〉というものだった。この女性が、幸せになりたいという曖昧模糊とした願いではなくて、幸せそうにみられたいというより具体的で戦略的な目的を打ち出しているところに感心したと同時に、「どうであるのか」よりも「どう見られているのか」を重視している点で、（途中略）すぐれて現代的な企画であると思ったからだ。

ＳＮＳのフォロワー数を競い、常に、タイムライン上で不特定多数の友人や知人とリアルタイムでつながりながら、随時自分の状況をインスタグラム上に発信しつつ、その一方で、行為関係を維持するためのメッセージ交換に言葉を費やしている女性がいたとすると、その彼女の行動基準は「自分がどうしたい」とか、「自分が何を欲しているか」よりも、「自分がどう見られたいか」であったり、「他者が自分に何を期待しているのか」であったりすることになるはず（以下略）

これまで僕たちは、人から承認されることに生きがいを見出すことは大いにあったけれど、ここまで他人の評価や承認を欲することはなかったように思う。その中で、SNSの「いいね！」に代表される「承認」の存在が大きくなるとは思わなかった。

SNSのアカウントごとに、そのアカウントに沿って発信する内容や画像、映像の時間、言葉のトーンを変えている人もいることから、「投稿したいことがあるから、発信する」のではなく、「発信するために、投稿内容を探す」という手段と目的の逆転が起こっていると感じることがある。

（『街場の平成論』より）

こうした他者からの評価を得る代表的なものが、撮影者が自分自身を被写体にする「自撮り写真」です。「自撮り」は、英語では「selfie」と呼ばれ、平成25年（２０１３年）には、イギリスのオックスフォード英語辞典の今年の言葉として選ばれる世界共通の意味にまで進化。また、インスタグラム上で「いいね！」を多数獲得できる映える写真を指す「インスタ映え」は、平成29年（２０１７年）の新語・流行語大賞に選ばれました。

こうした中、世界では、「インスタ映え」や「いいね！」のために命を落とす事例も出てきました。アメリカのネットメディア「インディペンデント」によると、ニューヨーク州キャッツキルマウンテンにあるインスタ映えスポット「カエータースキル滝」で、ここ最近命を落とした４人全員の死因が、スマホでの撮影中の滑落だとされています。

また、海外旅行好きが数多く投稿し、43・６万件にも及ぶ人気のハッシュタグに「#travelblogger」というものがありますが、恋人との写真や家族旅行といった楽しい写真に交じって、危険な場所で撮られたのではないかと思われる写真も、数多く投稿されています。

「手段」と「目的」が逆転してしまうこのような現象は、ＳＮＳを使いこなす側の私たちが、逆にＳＮＳに振り回されているのではないかと思わされるなんともいえない出来事です。

Chapter 7

炎上とフェイクの時代

平成２３年
（２０１１年）
〜

⑬ SNSがもたらした「闇」

もはや、ネットのない時代には戻れなくなった日本。その裏では、さまざまな問題も起こっています。

SNSへの写真の投稿が増える中、アルバイト先の洗浄機や冷凍庫の中に寝そべるなど、非常識な写真を投稿し炎上。いわゆる「バカッター」です。こうした非常識行為だけでなく、ちょっとしたつぶやきが炎上のターゲットに。一般人だけでなく、有名人も謝罪に追い込まれたり、SNSを閉鎖したりする時代に。

また、SNSで「ずっとつながる」ことに、疲れやストレスを感じる人も増えています。友だちのリア充な投稿を見て、自分自身と比較。うらやましい気持ちから、うつ状態になってしまうこともあります。

さらに、近年問題になっているのが、SNS上に蔓延するニセの情報。いわゆる「フェイクニュース」です。

平成28年（2016年）に発生した熊本地震の直後には、「近くの動物園からライオン放たれた」というデマツイートが拡散。被災地を混乱させせました。

誰もが情報発信できるようになったことで、何が本当の情報かわからない。そんな状況が発生しているのです。

熊本地震と同じ平成28年（2016年）、アメリカ大統領選挙でも、特定の候補者の有利になるようなさまざまなフェイクニュースが横行。この裏には、フェイクニュースで広告収入を得て、生活をしている人がいたといわれています。

マサチューセッツ工科大学の研究によれば、「ウソの拡散力は事実の100倍」であるというデータもあります。刺激的な情報を人に教えたくてつい拡散してしまうのです。最近ではフェイクニュースの技術もさらに進化。合成写真にとどまらず、本物と見分けがつかないほど精巧な「フェイク動画」まで作られる時代になっています。

ツイッターが殺伐としている

眞鍋　ツイッターって、いやぁ、便利ではあるんですけど、でもやっぱり、ここ数年ツイッターの中が本当に殺伐としてきたなという印象があって。最初は発言がメディアに取り上げられたりすることもなくて気軽に書いていたんですけど、途中からツイッターで書いたことがネットニュースに上がるようになったりして。

たぶんここ4、5年ぐらいで、ツイッターの質が変わってきて、やりづらくなったなっていうのは思います。

ヒャダイン　ツイッターってリプライ使えば、すぐに相手に意見を飛ばせるじゃないですか。それによって、いままでだったら「視聴者とタレント」とか「ミュージシャンとお客さん」みたいな感じで距離があったのに、ホットラインができたと勘違いして、自分がすごい発言力がある一市民なんじゃないかと思うような人が出てきて、それが「怖ぇな」って思うときがありますね。

宇野　インターネットが証明したことって、結構残酷な真実があると思うんですよ。それは、インターネットが誰もに発信の権利を与えても、「発信に値する中身」を持っている人って、ほんの一握りしかいないということ。そんな中、「いま、こいつには石を投げてOK」というサインが出てる人間に石を投げたり、人をいじめたり、自分にとって都合のいい情報を拡散したりする。これってものすごくハードルの低いことで、発信に値するものを何も持ってない人にとっての自己実現なんですよね。その悪魔の誘惑を与えてしまった面があると思うんですよ。

落合　「炎上」という言葉が使われるようになってから、「落合さん、いつも炎上していて大変ですね」と言われるんですが、「炎上してるうちに入らないだろう」と思うことも多いですね。

でも、一般の方からすると、100リツイートされたりすると炎上に見えるようですね。そんなのリーチで見ると大したことはないじゃないですか。数十万人にリーチしたところで、そんなのテレビに比べたら全然少ないので、「炎上」のうちに入らない。一個人の感覚からすれば、めったに何百リツイートとかされることはないから、世の中のすべての人が知っていると思うのかもしれないですが。

結局のところ、「ボヤ」にもなってないことが「炎上だ」って言われて、ネットのニュースにされて、逆に火がつくことがあって、そのほうが良くないのではないかと思います。

ヒャダイン　リツイート数とかも、何もない子たちが承認欲求を簡単に満たせるんでしょうね。「リツイートこんなにされた」って。普通の子にとっては、100人の見知らぬ人にリツイートされるってすごい「祭り」なんでしょうね。

文脈を理解できない人が多い

堀江　ツイッターはなんで炎上するかわかります？　文字は読めるけど、文脈や行間を理解できない人が多いから炎上するんですよ。実は、何が書かれているのかが、あんまり理解できていなかったりとか。

だけど、インスタはそうなりにくい。インスタがあんまり炎上しないのは文字がないからって思うなあ。

落合　ツイッターとインスタって、フォロワー層が全然違いますよね。インスタでフォローしてくれる人って、純粋におしゃれなものとかきれいなものを見たい人で、ツイッターにいる人は、言語コミュニケーションで大喜利をしている人が多いような気がします。

宇野　ようは「欲望」や「気分」でSNSのサービスを棲み分けたり、使い分けたりしているんですよね。ツイッターって、ひがみとかいじめとかの欲望を満たすためのものとして主に享受されていて、フェイスブックは自慢のために使われることが多い。インスタは「これが好き」という憧れと欲望が吐き出されている。だからこそ、広告にも利用されるスピードが速いのかなと。

見抜けないフェイクニュース

堀江　僕ね、結構「ちゃんとしたフェイクニュース」を出されたことがあって。ガチで作り込まれたやつですね。

昔、選挙に出たことがあるんですが、黒地に白文字で「改革」って書いたTシャツをみんなで着て選挙運動をしていたんですよ。そのTシャツの文字が「金儲け」になっている写真を作られたんですよ。職人がしわまで全部作り込んで「金儲け」って書かれている。その画像が一時期すごく拡散したんです。

ずいぶん経ってから、「755」というメッセンジャーサービスを作ったときに、堀江さんのスタンプを作ろうということになって。デザイナーが「金儲け」スタンプを作りました。これ、あえてじゃなくて、フェイクだと気づいてなかった。ガチだと思っちゃったんです。「俺がこんなTシャツ着ると思うなよ」と言ったら、「堀江さん、こういうキャラでしょ」って。

ようは、フェイクニュースがフェイクじゃなくなったんですよ。ネット上の「ホリエモン」という人格は、金儲けTシャツを着ていてほしいんですよね。そういうキャラクターであってほしい。だからデザイナーは、俺があのTシャツを本当に着ていたと思ったわけです。

よくできたフェイクニュースだけど、それがいまはAI技術を使えば動画で作れてしまう。たとえばトランプが言いそうなことを話している動画を全部フェイクで作れる。余裕で作れます。

落合　フェイクかどうかを100%見抜くのは難しいでしょうね。見破る研究自体は近年盛んに行われてはいます。

画像を加工するのは結構簡単ですし、その真偽を判定するにしても、たとえば加工後に解像度を下げたりすると難しくて、判別しようがなくなる。すべてのものがウソの可能性はあると捉えるしかないんです。でも、すべてのものが本物の可能性もあるわけで……。

フェイクニュースが広まったときに、それを最初に生み出した相手を調べれば、本当かウソかわかるんですけど、それを調べるのはもはや司法の場に持っていくしかないかもしれない。警察や検察の力が介入しない状態で、相手を特定するのは、ほぼ不可能だと思います。

たとえば週刊誌だったら、ニュースを出した人が明らかだから、訴訟することもできるかもしれない。ただ、「金儲け」って書いてあるTシャツの画像を誰が作ったか特定して、お互いに証拠を出し合って検証するのは、不可能じゃないにせよ、ものすごく手間がかかるでしょう。精度の高い判定機を作るのは今後の技術課題ですね。

堀江　たぶん、フェイスブックみたいな会社が、「このニュースがフェイクである可能性は何％」みたいに提示する世界がやってくるとは思いますよ。「90％は本物っぽい」くらいのことは判定できるようになるんじゃないですか。

★津田大介さんに「ツイッター」について聞いてみた

ツイッターを始めたきっかけ

平成19年（2007年）の3～4月、僕自身がウェブサービスをちょうど開発しているときに、一緒に開発していた技術者が「いますごくおもしろいサービスがアメリカできている」と教えてくれました。

「サウス・バイ・サウスウエスト」というイベントでアワードを受賞した「ツイッター」というサービスがブログに代わるものとして世界中がいま熱狂しているので、これ、やったほうがいいよと。それが話題になって、日本のネット業界の人が平成19年（2007年）の3〜4月に一気にアカウントを取得したんですよね。

その流れで僕も取得しました。ただ当時は何かつぶやいても反応があるわけじゃないし、「何がおもしろいんだ？」と思ったのが最初の印象でしたね。

日本に入ってきたときには、みんなスマホは使ってないですから、パソコンでだけ使うサービスでした。それまで日本にはmixiとかいろいろなSNSがあったので、そういうものに比べると「ツイッターって単に140字で情報を書けるだけで何がおもしろいの」という感じだったので、最初から使っていた人でも、アカウントだけ取って飽きてやめてしまったという人が多かったんだと思いますね。

ツイッターの魅力

ツイッターの有効な使い方がわからないまま、たまにつぶやいたりしていました。

そんな中、政府の文化審議会というものがあり、僕はそこに委員として参加していました。

だいたいそういった政府の審議会というのは、最初は記者がたくさん来て、いろいろ報じます。あるいは、最終の取りまとめを報じるときにたくさんメディアが来る。でも、途中はだいたい来ないのです。

最初はメディアも30人くらいいて、テレビカメラもいた。なのに、いまは見渡すかぎり記者も全然いない。「大事なこと話しているのにこれじゃ全然伝わらないな」と思って、「今日の議論ではこんな話をしている」とつぶやいてみたのです。すると結構反応があった。「傍聴に行きたかったけれど、行けなかった。津田さんありがとう」などの感謝の声がリプライで届いたのです。「なるほど、こういう使い方だったら自分なりにおもしろく使えるかもしれないし、新しいジャーナリズムになるかも」と思って、会議の概要を報告する形で、連続してつぶやくことを始めた。これが平成19年(2007年)ですね。最初は自分が参加している審議会についてメディアに注目してもらいたいっていうのがきっかけでした。でも実際の反応としては、メディアというより一般の人たちに届いた。

いつのまにかそれが「tsudaる」という言葉にもなりました。いまはほとんど言われなくなったので、良かったなと思っています。そりゃ語源となった人間からしたら恥ずかしいですからね……。ただ、名前がついたことで、「情報をリアルタイムにいろんな人に届けるのがツイッターの魅力だ」ということが広まったのは良かったです。

東日本大震災とツイッター

平成23年（2011年）に東日本大震災が起きました。

僕もジャーナリストとして、一刻も早く東北に行って取材したいと思っていました。ただ、自分が行ったところで何ができるんだろうという思いもあった。自分の役割、自分の持ち場で、震災に対してできることは何かと考えていたんです。

震災が起きてからネットの情報を見ていると、正しい情報、間違った情報、有益な情報、デマ、危険な情報が玉石混淆（こんこう）で、すごい勢いで流れていたんです。これだけ情報がたくさん流れているんだったら、「これは有益な情報です」「真偽が確かな情報です」というのを伝える必要があると思ったわけです。こういうときにこそ、実はツイッターは役に立つんじゃないかと思ったのです。

当時はフォロワーが1万5000人くらいだったでしょうか。他の人よりは発信力があったので、とりあえず起きている時間はひたすらツイッターに流れる情報と向き合って、多くの人にとって有益な情報を流し、怪しい情報に関してはそれを打ち消すような情報を流すということを徹底的にやりました。

また、政府や東京電力、原子力安全・保安院などが記者会見を行うときは、そこで発表された情報や質疑応答などを要約筆記で流すこともやっていました。

東日本大震災というのは、地震と津波と原発事故という「複合災害」でした。ただどうしても原発事故だけが圧倒的に報道のウエイトを占めていた。よって、それ以外の細かいところがなかなか報じられない。本当は大きなニュースなのに、情報の流れがどこかで止まってしまっていた。いわば情報の「血流」が悪くて止まっていた。そこをツイッターによって血流を良くすることで、メディアが取り上げやすくなる。そういう力があると感じました。

ツイッターの使われ方の変化

それまでは、ツイッターもようするに「遊び」というか、「暇つぶし」をするためのコミュニケーションツールでした。たわいもないツイートでつながるという、暇つぶしの道具だった。それが震災によって、「個人が多くの人にリアルタイムで情報を届けることができるツール」だと気づいたのです。

実はツイッターはすごく不安定なサービスでした。平成22年（2010年）くらいまでは、人が増えるとやたら落ちる。不安定で接続できなかったり、メンテナンス中の「クジラのマーク」が出ることも多かったわけです。

ただ東日本大震災のときは、ほとんど落ちていない。これは「大変なことが日本で起きているから、日本のサーバーを増強して落ちないようにしよう」とツイッター社が判断してやっていたのです。東日本大震災で日本人がツイッターを活用し始めたことで、ツイッター社もその役割に気づいた。ただ友だちと交流するのではなくて、情報を通じて社会の公共的な役割を果たす。そういう役割に気づくきっかけでもあったのです。

ちょうどその頃から、ツイッター社も自分たちのことをSNSとは言っていません。「自分たちはSNSではなく、ニュースネットワークなんだ」と。「自分たちは、個人が発信できる世界最速の情報ニュースネットワークサービスなんだ」と、当時まだ経営陣にいたエヴァン・ウィリアムズという経営幹部が言っています。

個人の影響力が大きくなりすぎた

ツイッターは理想の世界を実現しつつあるのでしょうか？

たとえば、政治を透明化できたのか。これまでより個人と政治家がつながることで、政局よりも政策ベースの政治が実現したのか。

もちろん、部分的には実現しつつあります。ただ一方で、デマの問題も起きている。沖縄県知事選でも、対立候補に対する怪文書並みのデマやフェイクニュースが相当な数流れました。むしろ、その対応に政治家が追われなければいけなくなったという状況もあるわけです。

それはひとえに、ツイッターに流れる情報の影響力が大きくなりすぎたことに起因します。若年層に対しては、ときにはテレビや新聞以上の影響力を持つ。若年層だけではなく、むしろ高齢者のほうがネットの情報を鵜呑みにすることもある。つまり、全世代的に影響が大きくなっているわけです。よって、政治と個人をつなげるポジティブな可能性以上に、ネガティブな可能性のほうが大きくなっている側面もあります。

ジャーナリズムもそうでしょう。ツイッターで情報発信することで、ジャーナリズムがどんどん良くなっていったのかといえば、実際にはフェイクニュースや炎上ばかりが目立つようになった。

新しい可能性や刺激も与えたけれど、完全にそれに振り回されている状況もある。ツイッターがここまで影響力の大きい存在になるというのは、そういう世界を僕も

10年前は夢見ていたわけで、良い部分・悪い部分双方ありますが、現在は悪い側面のほうが目立ちますね。

ツイッターは、10年くらい前までは毎日楽しく使っていて、震災が起きてから少し性格が変わっていき、シリアスに向き合わざるをえなくなった。そしてここ数年は、しかめっ面でずっとツイッターを見るような状況が続いています。

「じゃあなんでやめないいんだ」とよく言われますが、それは代替するものがないからです。個人が告知をする上で、これ以上いいツールはないし、何か世の中に伝えたいことが、テレビ並みの速度で、何十万、何百万人に広がるツールは他にない。マスコミの力を借りずに、個人でそれができるのはこのツールしかないのです。

昔は本当に楽しくて、個人の楽しみとして使っていた部分もあるんですけど、いまは使わざるをえない。使いながらもさまざまなジレンマを感じています。

プラットフォーム事業者、広告会社は責任をとるべき

なぜ炎上がこんなに増えているのでしょうか？　どうしてこんなにフェイクニュースが増えているのでしょうか？　情報を巡る環境がこれだけ変わってしまったのには、いくつか原因があります。

ひとつは「相手を攻撃するツール」として便利だからです。匿名で、リスクもコストもなしに、意見が合わない人間を攻撃することができる。ただ、そういう人は数としてはそんなに多くないだろうといわれています。

2つ目は、世論工作をする業者がいるということです。ある特定の世論を作るサービスを提供している業者があり、おそらくそれにはPR会社、広告会社も絡んでいるでしょう。この実態も、いまようやく報道されるようになってきています。

さらには「儲け」の構造があります。いわゆる「まとめサイト」でかなり保守に偏った情報を流す人がいます。それは、そういう情報のほうが5倍、10倍と他の情報よりもアクセスが集まるからです。

彼らは別にイデオロギーでやっているのではなくて、単にお金儲けのためにやっている。一方でそういった質の悪い情報サイトに対して、広告会社も広告配信をやめない。これは広告会社の問題でもあるのですが、そのために情報がゆがめられる。

そうやって、どんどん情報がゆがめられていく。問題は、多くの一般層がスマホでそういう情報に日常的に触れてしまうことです。すると、影響を受けて拡散してしまう。リツイートしたりしてシェアしてしまう。おそらく層としては、ここがいちばん大きいでしょう。

こうした流れに対してマスメディアも十分対抗できず、むしろビジネス的には苦境に立たされている。ツイッター、グーグル、フェイスブック、日本でいえばヤフーといったプラットフォーム事業者も全く責任をとりません。これが民主主義社会に対して大きな悪影響があるのです。

プラットフォーム事業者や広告業界は、自由主義社会でお金を稼ぐ自由があるといっても、少なくとも、混乱を収めるための対策はもっと真剣にやるべきじゃないかというのが僕の考えです。

◉コラム◉「フェイクニュース」への対処法を考えてみた

「フェイクニュース」とは、主にSNSを中心にシェアされる本物を装った偽のニュースのことです。

その目的は、読者をからかうことを目的としたものや、ソーシャルメディア上でのウケを狙ったものから、世論を誘導するため政治的あるいは信条的な内容を含んだものまで広範囲に及んでいます。僕たち個人の考えに悪影響を及ぼすほか、社会の混乱を招くこともあり、大きな社会問題になっています。

「フェイクニュース」をシェアする人たちは、その内容が偽とわかっていながら行う人もいますが、偽であると気がつかずにシェアしてしまっている人も少なくありません。

また、多くの人が情報をシェアする際に、その真偽を確かめず、自分が「信じたい」と思う情報だけを信じてシェアしてしまう傾向を持っています。そのため、いとも簡単に偽のニュースが世界に拡散される環境になってしまっているということも挙げられます。

一体、どんな偽情報が「フェイクニュース」と呼ばれるのでしょうか。欧州でメディアリテラシー教育を推進する非営利団体「ＥＡＶＩ」が、令和元年（２０１９年）に作った授業用教材『『フェイクニュース』という言葉を使わず考えてみよう―10種類の情報区分』によると「フェイクニュース」は次ページの10種類に分類されます。

こうした偽情報が、それぞれ単体としてではなく、混合されていくことで、その内容がより具体的かつ複雑になり、巧妙な「フェイクニュース」に仕上がっていくのです。

「フェイクニュース」が大きな社会問題となったのが平成28年（２０１６年）のアメリカ大統領選です。選挙期間中、大統領選に関する多数のフェイクニュースが発信され、アメリカ全土を駆け巡りました。自分が信じたい情報を拡散してしまう行動心理を利用して、特定の政党や候補者に投票を誘導するなどの政治操作を行う「デジタル・ゲリマンダー」と呼ばれることも行われ、問題になりました。

また、その選挙で当選したドナルド・トランプ大統領が、平成30年（２０１８年）、自身に批判的な報道をした記事を「フェイクニュース」と非難し、さらに一部のメディアを「国民の敵」と非難。全米の３５０を超える新聞社が、報道の自由を訴える社説を一斉に掲載し、抗議する事態にまで発展し、世界中を巻き込んだ社会問題になりました。

さらに、ＳＮＳのプロフィール分析による個人の支持政党判定や、ＳＮＳのタイムラインを操作し選挙行動を喚起する手法なども組み合わせれば、特定政党支持者の投票率

「フェイクニュース」という言葉を使わず考えてみよう

10 種類の情報区分

動機　€金銭　政治／権力　ユーモア／冗談　情熱　（誤）情報の伝達

区分	内容	影響度	動機
プロパガンダ	■政府、企業、NPOなどが、人の意識や価値観、知識に影響を与えるための手段 ■感情に訴えてくる ■利益になることもあれば、害を及ぼすこともある	※影響度は場合による	政治／権力、情熱
釣りタイトル	■本質から外れた、刺激的で目立つ見出し ■見出しが内容を反映しておらず、誤解を与えやすい ■広告収入を得るために利用される	※影響度低	€、ユーモア／冗談
スポンサードコンテンツ	■記事に見せかけた広告 ■報道機関と利害の対立を生むことがある ■明示されていなければ、広告だと見抜くのは難しい	※影響度低	€
風刺、架空の話	■社会批判またはユーモア ■内容はさまざまで、意図が明確でないことも ■事実と混同され、読者を困惑させる	※影響度低	ユーモア／冗談
誤報	■定評ある報道機関も間違えることがある ■誤報はブランドを傷つけ、怒りを買い訴訟になることも ■信頼できる報道機関であれば、誤りを認めてお詫びする	※影響度低	（誤）情報の伝達
党派的情報	■イデオロギー的な事実の解釈を含むが中立を装っている ■自分たちに都合の良い事実を強調し、それ以外は取り上げない ■感情的で情熱的な言葉を使う	※影響度中	政治／権力、情熱
陰謀論	■恐怖や不確実さから、複雑な現実を単純化して説明しようとする ■間違いだと証明しづらく、反証すると陰謀論の信頼性を増してしまう ■専門家や当局情報を否定する	※影響度高	情熱、（誤）情報の伝達
ニセ科学	■見せかけの環境保護活動、奇跡の治療法、ワクチンの拒否、地球温暖化の否定 ■正しい科学的研究を、大げさな、またはうその情報でねじ曲げる ■たいていの専門家の意見と矛盾する	※影響度高	€、政治／権力
誤情報	■事実と間違いが入り交じったコンテンツ ■情報を伝えたいと思っているが、作成者が誤りに気づいていないこともある ■誤った引用、不適切に加工されたコンテンツ、誤解を招く見出し	※影響度高	（誤）情報の伝達
偽情報	■人をだます目的で広く拡散する、完全なねつ造コンテンツ ■ゲリラマーケティング戦略、ボット、コメント、なりすましブランド ■広告収入目当てか、政治的な影響を与える目的、または両方	※影響度高	€、政治／権力

さらに深く……

誤った引用	事実に基づいた画像や映像、コメントが関係ない出来事や人物にひも付けられている
なりすまし	有名ブランド・人物を装ったウェブサイトやツイッターアカウント
ミスリーディング	見出しやキャプションと内容が合っていない
改ざんコンテンツ	修正または不正に加工された統計、グラフ、写真やビデオなど

※EAVI MEDIA LITERACY for CITIZENSHIP の表をもとに作成。影響度と動機は決定的なものではありません。
Beyond 'fake news' −10 types of misleading news
邦訳・日本ジャーナリスト教育センター（JCEJ） 2019年

アップも可能になってしまうと危惧されています。

テクノロジーの進化に伴い、ますます高度化していくであろうフェイクニュース。信頼できる情報を見分けるのが困難になる中、私たちは、どうすれば真偽を見分けることができるのでしょうか。

NHKの足立義則記者と、虚構新聞社社主のUKさんは番組と連動したイベントでこう語りました。

足立　フェイクニュースが拡散されるときは、「自衛隊の人から聞いた話なんだけど、携帯の電波がもうすぐダウンするらしいよ」など、伝聞系で情報が回ってくることが多いんですが、そのときはまず、「公式リンクがあるかどうか」を確認しましょう。その公式リンク自体も、本当に正しいURLかどうか。こうしたことを共通認識として持っておくことが大事かなと。

あと、ユーザーリテラシーという意味で、「虚構新聞」さんが果たしている役割は大事ですよね。「これ本当かなぁ？」と思ったときに、「また虚構新聞じゃないの？」という考えが多くの人にセットされているんじゃないかなと思うんです。虚構新聞さんの存在のおかげで、真偽を疑う目が身につくと思います。

UK 15年間ウソを書き続けた結果、まさかNHKの人に褒められる日が来るとは思いもしなかったです（笑）。

「虚構新聞」の書き手の立場としては、これ以上ウソの水準を落としたくないということもありまして、お互い楽しくやっていくためにも、読者の皆さんにもっとリテラシーが広まったらいいなと思います。パッと見て脊髄反射的に何かするのではなく、ボーッと生きてたらダメかなという意識を持って、情報と向き合ってもらえたらと思います。

フェイクニュースをどう防ぎ、どう向き合っていくのか。

平成ネット史の「悪い置き土産」にならないよう、令和に元号が変わっても、私たちがやらなければならない宿題になっています。

「フィルターバブル」はどう防げるか

ＳＮＳでは最近、社会の小さな声を拾い上げるなどプラスの面がある一方で、人を攻撃するようなマイナス面が深刻になってきています。それが行き着くところまで行き着いたのが、平成から令和に変わった時代の空気感ではないでしょうか。

私たちは日々、莫大な量の情報に触れながら生きています。情報が多くなると、それだけ選択肢が増えて、人々は豊かになるだろうと思われていました。しかし現実には、真逆の現象が起きています。情報が多すぎる故に、人々の視野が狭くなっているのです。

いまはみんなが誰かの発言を気にしながら生きています。個人の意見をネット上で発言しただけで、すぐに炎上する風潮もあります。発言すること自体が難しくもなっていて、「不寛容」な社会が生まれているといっても過言ではありません。

SNSでは、パーソナライズされた情報フィルターをかけたり、仲の良い友人たちとだけつながる空間を作ることができます。そもそも人間は、自分の考えに合う情報ばかりを集めたがる傾向が強いです。このように、いわゆる不寛容な社会や、自分の考えとは合わない情報を避けていく状態は、「フィルターバブル」と呼ばれます。フィルターバブルは、意図せずして個人が陥りやすいものなのです。

こうした問題が、社会の分断や、意思決定の困難さを招いているという指摘も出始めています。国の研究開発戦略センターの研究調査でも、意見の偏りによる影響が危惧されているのです。

それが、情報の〝タコツボ化〟現象です。

考え方や好みの似た人々が集まったSNSでは、発信した情報に賛同・同調する人たちが多く、反響が大きくなる「エコーチェンバー」(反響室)と呼ばれる状態になりやすいです。

そのような状況では異論を挟みにくく、「同調圧力」に飲み込まれやすくなります。このような形でタコツボ化したコミュニティー内に、うまく情報を流し込むと、その情報が一気に広まり、受け入れられやすいのです。

こうした「フィルターバブル」「エコーチェンバー」「同調圧力」という環境においては、意見や価値観が自分に近い人としかつながらず、自分の意見に沿った情報しか見ないようになります。そして、反対意見には耳を貸さず、反対意見を持つ相手とは強く対立するなど、意見の二極化を招くと指摘されているのです。

本来であれば、ソーシャルメディアの普及により、多様な価値観・立場からの意見にも耳を傾けて、熟慮・熟議を行うことで、より良い意思決定結果を導くべきところ。しかし今日、視野狭窄や集団浅慮がネットの世界で起きてしまっている。

では、どうすれば、このような状況を打開できるのでしょうか。ネットメディア「withnews」の記事にヒントを見いだすことができます。

■見出しだけで「いいね」しない

ページビューを稼ぐためには過激な言葉が使われがちです。内容に比べて大げさな見出しの記事もあるので、「いいね」やリツイートをする前に、記事の中身をしっかり読むことをお勧めします。

■「1次情報」にあたる

どこで「話題になっている」のか、誰が「絶賛・批判している」のか、あいまいな記事も少なくありません。話に尾ひれがつくことはよくあるもの。私たちメディアで、発表元や公式データなどの1次情報を確かめるようにしています。それが難しければ、実名で発信しているライターや研究者、チェック体制が整ったメディアの情報を活用してください。

■複数の記事を読む

同じテーマの記事でも、発信しているメディアや個人によって違った視点、時には反対の捉え方をしているものがあります。複数の記事を読み比べることで、偏った意見に流されにくくなります。

「情報が多すぎる故に視野が狭くなる」という逆説めいたこの現象を自覚するのは、究極のところ自分自身でしかありません。

進みすぎた「文明の進歩」の行く末をどうするかというのも、平成ネット史から、令和ネット史へとつないでいく、世界的な議題になっています。

新型コロナウイルスに関するデマの蔓延を防ぐために、国連が始めたキャンペーンでは「#シェアする前に考えよう」と訴えています。このキャンペーンのタイトルは「Pause/ちょっと待って」ですが、まさに「ちょっと待てよ」と考えられることが世界的に求められているのではないでしょうか。

Chapter
8

ユーチューバーがヒーローになった

平成２５年
（２０１３年）
〜

⑭ 一億総クリエイター社会

「東京オリンピック・パラリンピック」の招致決定に日本中が沸いた平成25年（2013年）。

日本の女子高校生がツイッターに載せた、ある写真が世界中で話題になりました。周りの人たちが〃気〃で吹っ飛ばされているように見えるこの写真は、人気アニメの必殺技から「マカンコウサッポウ」と名づけられ、世界中に拡散。同じような写真を撮る人がたくさん現れました。

現代は、誰もがネット上で自分を表現できる「一億総クリエイター社会」だといわれています。

平成28年（2016年）にピコ太郎がユーチューブにアップした『PPAP』は、人気歌手、ジャスティン・ビーバーが、お気に入り動画としてツイートしたことで世界規模のブームに。真似をする人も続出しました。

ツイッターやユーチューブなど、世界共通のプラットフォームが登場したことで、個人の影響力が世界へと拡大するようになったのです。
広告収入で生計を立てる「ユーチューバー」も年々その数を増やし、小中学生のなりたい職業上位にもランクインしています。最近では、3Dのキャラクターがユーチューバーをする「バーチャルユーチューバー」もおなじみの存在となりました。

ユーチューバーは、なぜ人気なのか？

森永　いまの子どもたちにとっては、テレビの向こうのタレントよりも、ユーチューバーのほうが親しみがあるみたいです。
テレビの向こうの人は、よくわからない誰かが作っている完璧なもの。ユーチューブは自分の知っているお兄さん・お姉さんたちが毎日作っているものだから、近いっていう感覚。

堀江　僕は違うと思うな。ただ単純に、スマホとかタブレットしか使ってないから、そこにあるものをずっと見ているだけ。
ユーチューブのおすすめ動画機能ってすごいんですよ。アマゾンで「この商品を買った人はこれも買っています」というのが出るけど、それと同じように、「次の動画を見る」という導線があると、ずっと見ているんですよ。

落合 うちの子どもは、1日5〜6時間はユーチューブ見ています。それを見て、マイニングマシンのようだ、と僕は思っています。

つまり、彼がそれを延々と見て、その広告料収入がユーチューバーに入る。他の子がキャラクターのおもちゃで遊んでいるような内容の動画です。それが800万再生もされているわけです。

眞鍋 すごいですよね。テレビとかには出てないけど、小学生なら全員知っているくらいの有名なユーチューバーがいて、その人たちがおもちゃを紹介したりするんですよ。

ネットはテレビの二番煎じか

堀江 ユーチューバーを見ていると、テレビ的なバラエティーをネットでしかできないように過激にしたりしていて、「これ、テレビのバラエティーだよね」みたいなものも多い。だから「所詮、ネットはテレビの二番煎じだ」みたいにテレビの人に言われるわけです。実際そうだし。

宇野 「ニコニコ超会議」にビートたけしさんが来て、それをニコニコの運営者たちが「やっと自分たちも認められた」と大はしゃぎしている。そりゃ生でたけしさんを見られるならうれしい人もいるだろうけど、それがニコニコのやるべきことなのか、ニコニコじゃなきゃできないことなのか、っていうのは疑問なんですよね。

堀江 初音ミクとかは、ニコニコが生んだオリジナルのスターといえるけど、そういうものが「カウンターカルチャー」でなく、「メインストリームカルチャー」の共犯者になったことによって、オリジナルが出にくくなったんじゃないのか、ってことを言いたいんですよね。

宇野 もちろんメインストリームに出ていって、旧(ふる)い世界のシーンを変えることも、大手のネット事業者のひとつの役目なのかもしれない。ただ、それって実は長期的にはインターネットのポテンシャルを殺していく行為だと思うんです。

堀江　あと、やっぱりインフルエンサーもテレビに出るとめっちゃ喜ぶのよ。めっちゃみんな喜ぶ。だから、まだまだテレビにすごく支配されているなという気はする。

僕なんか全然ウケないコンテンツをずっとやっているわけですよ。登録者が18万人（当時）しかいないんだけど、毎日「ホリエモンチャンネル」という番組をやっている。超マニアックなコンテンツなわけですよ。だけど、ずっと続けていて。でもずっと続けていると、本当に小さな価値ですけど、ちゃんと価値を生んでいくんですよね。

ネットのアプリとか新しいサービスを作っている人からは「ホリエモンチャンネルに出られるんですか？」と言われるようになってきていて、そういうのがもっと出てきてほしいよね、って思う。

宇野　いま日本のインターネットって、「ツイッター」というひとつの巨大な村に集約されてしまっている。独立系のメディアが、全く村の空気に右顧左眄（うこさべん）せずに、しっかりと独自のコンテンツをやっていくことが難しくなってきていますよね。

「キュレーター」の時代

ヒャダイン　TikTokを見ていておもしろいことがあって、たとえば倖田來未さんの『め組のひと』がいきなりリバイバルヒットしたりする一方で、逆にアーティストが「TikTok用に音楽作りました」みたいな感じになったらドン滑りするっていう展開があるんですよね。

やっぱり、ユーザー自身が「自分たちで見つけた」感、自然発生感がないとダメなんですよね。自分たちで作っている感がないと、アーティストや出演者、レコード会社から押しつけられているものと捉えられてしまう。たとえばテレビとかが仕掛けると、特にそう思われますよね。

堀江　そうかなあ。僕は、別に「押しつけている、押しつけていない」は関係なくて「おもしろいか、おもしろくないか」だけだと思いますよ。荻野目洋子さんの『ダンシング・ヒーロー』がいきなりヒットしたりもするし。

落合　僕は「メディアがかわるとブランドがきかない」という話だと思います。

堀江　そうそう。どっちかというと、メディアよりもキュレーターのほうが力を持っているというか。

ようするに、世の中のほとんどのコンテンツがクラウド上に乗っかっているわけじゃないですか。「スポティファイ」とかなら簡単にアクセスできる。だから、時間があるやつのほうが強いんですよね、いま。

たぶんクリエイターよりも、キュレーターやＤＪのほうが強い。ＤＪの時代なんですよ。時間を持っていて、たくさん音楽を聞けたりする人のほうが強い。センスさえあれば。あとは、どう選曲するかですよね。

インフルエンサーの影響力

森永　インフルエンサーの影響力や信頼度も変わってきました。

テレビや雑誌などのメディアだと、出演している人と中身を作っている人がばらばらだったのが、インフルエンサーはメディアとタレントがセットなので、やっぱり影響力が大きいなと思いますね。

宇野　テレビに出なくてもインターネットの世界で有名な人はいっぱいいて、彼らがツイッターでものすごい影響力を持つようになっていったんですね。

ただ、その中で本当にネットでしかできないユニークなこととか、独自のことをやっている人ってほとんどいないと思っています。たとえば震災のあたりでのほとんどのインフルエンサーはツイッターで「ワイドショー」みたいなことを始めたと思うんですよ。

いま話題の叩いていい人に、自分も石を投げてフォロワーの関心を買ったり、タイムラインの「潮目」を読んで、それに基本的には乗り、たまに逆張りすることで注目を浴びるとか。結局、テレビや週刊誌が報じた問題をいじる人ばかりになっちゃった。これは完全に「ワイドショーの二軍」です。

堀江　オリジナルを作るのは、相当ネットの文化とか成り立ちとかを正しく理解した上で、自分なりの仮説を持って「こういうことをやったらおもしろいんじゃないか」ってことをやっていかないといけなくて、そういうのができる人は、そんなにいないのかもしれない。

宇野　インターネットがメジャー化することで、独自の問題設定能力を逆に失っていったと思うんですよね。

結局大手のニュースサイトも、テレビや週刊誌のネタをおもしろおかしくいじって、ツッコんで、そして炎上させてPV稼ぐわけですよね。逆に、週刊誌やテレビがネットからネタを拾っているケースも多いんですけど、そういった「共犯関係」というか、サイクルが完全にできちゃっている。インターネットというカウンターカルチャーだからこそ、マスコミのような中央集権的なシステムから出てこない、独自の問題設定をする力があるはずなのに、いまはどんどん逆に下がっていってしまっていると思いますね、残念ながら。

「親近感」がわくかどうか

みちょぱ　最近はSNSが発展しすぎて、モデルとか芸能人とかとすぐつながれますよね。だから、10代の子たちは、そういう人たちに「憧れる」というよりは、「返信をいっぱいくれる子が好き」っていう感じです。親近感があって、つながりやすくて、真似しやすい、というのが好きなので。

だから、写真より動画のほうがリアルだからウケがいいし、そこでメイクとかを紹介してくれたら、それも真似しやすいってなるので人気になるんです。

ユーチューバーとかも、わりとコメントをこまめに返してくれる人のほうが人気なんですよね。

堀江　「イチナナ」とか「ショールーム」は、もう完全にそうなっていて、ほんと「ネットキャバクラ」「ネットホストクラブ」状態ですよ。

宇野　ここまでインターネットが普及してくると、テキストとか、音声とか、映像とか、情報そのものに値段はつかないんだと思います。あれはどこまでいっても他人が作った「他人の物語」でしかない。そうじゃなくて、「自分の物語」にみんなお金を払いたいし、時間を使いたいんですよ。

実際に画面の向こうのクリエイターとやり取りできるって、自分だけの体験じゃないですか。みんなそっちのほうに価値を見いだしているんですよね。

⑮「評価」がお金に変わる?

最近では、クリエイターが作品を生み出す過程も変わってきました。平成28年(2016年)に公開され大ヒットした映画『この世界の片隅に』。この映画は、ネット上で不特定多数の人から資金を集める「クラウドファンディング」で約3900万円を集め、制作されました。

ネットでの「評価」が現実のお金に変わる。ネットによる新しい価値の時代が到来しています。

堀江 僕は「お金になる」って考えちゃダメだと思っています。

別にお金を介さなくてもいいんですよ。結局人生って究極の暇つぶしというか、結局自己満足でしかないので、自分が楽しければ究極的にはいいわけで。自分が気持ち良くて、おもしろいことをずっとやっているのが人生の最大の喜びだと思うんです。そのために、いままではお金を稼がなきゃいけなかった時代がずっと長く続いたんだけど、実はお金を稼がなくてもいいんです。

たとえば、僕は「オンラインサロン」というのをやっているんだけど。オンラインサロンだと、たとえば「映画を作ります」となったときに、「じゃあ俺、動画撮れるから動画撮るね」とか、「俺、編集できるから編集してあげるよ」とか、「俺、ロゴとかのデザインは作れるからしてあげるよ」みたいな感じで、お金を介さないところが増えてきて、どんどんお金を使う場面が減っている現状があって、おもしろいなと思って。

落合　お金は「信用のアプリケーションのひとつ」だったというのが、とても興味深いですね。人間どうしの信頼感のあるつながりの上に、実はお金が乗っていただけだったということなので。

堀江　そう。信用って、クレジットのやり取りなんですけど、クレジットのやり取りが本質であって、クレジットのひとつの形がお金だったというだけ。本当はそれが真理なんだけど、それがやっと社会に実装されたというか。

宇野　当然昔はインターネットなんかあるわけがないので、その人がどういう人かわからないまま物事を進めなきゃいけないことも多かった。だから、とりあえず

「国家が価値を保証している紙」とか「金属片」とかを信じることにしましょうとしておかないと、世の中が回っていかなかった。

ただ、いまのテクノロジーとか情報環境を前提に考えると、その「信用」を必ずしも「お金」という形にしなくてもいいって気づき始めている人がいるってことなんですよね。

堀江 究極的にいうと、僕ならお金なくても、普通の人たちがそこそこ満足する人生だったら、完全にお金をゼロにして実現できますよ。

キャッシュゼロの社会は絶対にできると思っていて。たとえば衣食住でいうと、僕を、たぶん住まわせてくれる人っていて、ごはんとかおごってくれる人がたぶんいて、服とかただでくれる人がいて……あとは、コンテンツはネットでいくらでもただで見れるし、だいたい大丈夫なんですよね。

そこ、お金いっさい介在しなくてもたぶんできるようになっていて。うちのサロンって「ニートのプロ」みたいな人がいて、「プロのひもです」みたいな人もいて。

フォロワー数が評価になる？

みちょぱ　モデルの仕事をしていると、やっぱり、フォロワー数とか「いいね！」の数で判断されることも多いですよね。雑誌の編集の人とかだったら、その数字を見て「この子呼ぼう」とか。「ちょっと影響力のある人だな」っていうのが数字で見てわかっちゃうので、それなら影響力ある子を呼びたいじゃないですか。

森永　たとえば、就活生が「ＳＮＳをやったほうが就活しやすいのか、そうじゃないのか」って悩むみたいですけど、よく言うのが「しないっていう選択肢もあるよ」と。

何もしなければ「ない」っていう評価がされるだけで、マイナスの評価がつくことがない。「怖いんだったらやめれば？」っていう話をするんですけど。「やんなきゃ」と言って変な失敗をして、マイナスのポイントをガバッと拾っちゃう、みたいなのがあったりするのかなっていうのはありますね。

落合　就活自体、評価できなかった時代の裏返しみたいなものですからね。

森永　評価されないことを選ぶっていうのも、たぶんひとつの手段ではあると思うんです。そしたら、たぶん堀江さんみたいな生き方はできないので、それ以外の生活手段を得なきゃいけないですけど。

SNSからは逃げられない?

眞鍋　でも、若い世代がSNSをこのままずっと使い続けるのかなっていうのはすごい疑問で。私の周りのアラフォーは、結構みんな疲れて、脱落していってるんですよね。

インターネットの普及とともにいろんなメディアを使ってきたけど、40くらいになるとほんとにしんどくて無理ってなっちゃって、もうやめよっかなって思うことも……。

堀江　でも、それは無理無理。絶対無理ですよ。もう、ネットから逃れることはできない。

たとえば中国に行くと、「芝麻信用(ジーマしんよう)」というのがあるわけですよ。芝麻信用というのは、中国の大手のネットの会社がやっている信用クレジットシステムなんですけど。中国に行くと、いま現金よりもQRコード決済が流行っていて、「アリペイ」とか「ウィーチャットペイ」みたいなのをみんな使うわけですよ。

僕、このあいだ上海に行ったときに、ウィーチャットペイがないと不便だからって、人に頼んで入れてもらって行ったわけですよ。そしたらね、999元までしか入んなくて。それは、僕がウィーチャットペイで全然活動してないから、クレジットがたまってなくて、「あなたにはこれ以上送れません」となってしまった。「ウィーチャット」というのはもともとチャットのサービスで。LINEとかワッツアップとかカカオとかの中国版です。

ヒャダイン　ウィーチャットをちゃんとメッセンジャーとして使ってなかったら、SNSをしてなかったらお金も入れられないっていうことですね。

堀江　そうそう。それも、SNSで徳を積んでないといけない。

フェイスブックとかでも、ちゃんとフェイスブック使ってないと、この人はこれ捨てアカなんじゃないか、とか。

ようするに、よくわかんない馬の骨が犯罪をしようと思って捨てアカを作っているんじゃねえか、みたいに思われるわけ。

だから、絶対逃げられない。しょうがないです。逃げられないです。

宇野　たとえば眞鍋さんが、家を貸そうとしたときに、全く信用情報がなくて現金だけドカッと払ってくる人のことをそんなに信用できますか、って話なんですよね。

眞鍋　うわぁ。それは信用できないですね。

宇野　いまだに、残念ながら部屋ひとつ借りるにしても、「正社員の夫がいますか」とか「お父さん、ちゃんと仕事ありますか」とかを聞かれることもあるじゃないですか。それは嫌だな、あくまで個人の行いで判断されるほうがいいっていう考え方もあるわけですよ。もちろん、個人の言動力が丸はだかになってしまう世界が息苦しいのは間違いない。だからそうならないように個人の「信用」が可視化されるシステムを用いる知恵が重要だと思います。

Chapter
9

これからネット社会はどうなっていくのか

令和元年
（２０１９年）
〜
未来

した。

「平成ネット史」と銘打ってパソコン通信の時代から現代に至るまでを振り返ってきま

「つながる喜び」を感じていたあの時代から、いつしか「つながりっぱなしが当たり前」の世界へと進化しています。

そしていま、ネットはこれまでになかったつながりを生み出し始めています。

車を貸したい人と借りたい人を結びつける「カーシェアリング」、家を貸したい人と借りたい人を結びつける「民泊」など、ネットによって情報の枠を超えて、衣食住さまざまなニーズをマッチングできる時代が訪れているのです。

このように、ネットを使ってモノやサービスを個人間で共有する「シェアリングエコノミー」は、近い将来、モノを所有することの意味を大きく変えるのではないかといわれています。

令和2年（2020年）になり、日本のモバイル通信も「5G」時代に突入。あらゆるものがネットでつながるIoTがますます加速しています。平成から令和へ。ネットは私たちをどんな世界に連れていくのでしょうか――。

ヒャダイン　こうやって見たら、この30年で圧倒的なスピードで進化していったので。ということは次の30年も同じぐらいいくかもしれないし、いかないかもしれないので、もう僕は開発側ではないので、この流れに身を委ねるしかないなという、ある種のあきらめですね。楽しんでいくしかないな、と。いまのところ。

みちょぱ　私もいまはまだ「若者」って周りの大人には言われるんですけど、もうSNSとかネットの新しいサービスについていけてない部分があるんですよ。

これからそういうことがどんどん増えるんだなって思うと、「ついていけるかな」っていう不安が、もうきちゃってますね。

だから、平成生まれで誇りを持っていますけど、平成も終わっちゃって……。次の世代でも頑張って生きていこうと思いますね。

眞鍋　なんか、次の世代に置いていかれないようにしようみたいな恐怖感は、やっぱりありますね。自分の子どもが3歳（収録当時）で、「Ｈｅｙ！　Ｓｉｒｉ！」っていろいろ操作しているのを見ると、「この子たちの世代と自分の世代でどれだけの差ができちゃうんだろう」って。不安ですけど、食らいついていくしかないですよね。

森永　私はこれまでを振り返ってみて、意外に日本、まだ日本語のインターネットだから、まだちょっと鎖国しているなと思っていて。

おそらくこれから自動翻訳がどんどん進んで言語の壁がなくなった瞬間に、第二、第三の大きな変化の山が来るだろうなと思います。もちろん悪いことも起きるだろうけど、ちょっと楽しみだなって思っています。


宇野　いまのインターネットは情報の回転が速すぎると思うんですよね。

みんな「自分が安心できたり気持ち良くなるような特定の方向の意見が聞きたい」っていうのが頭でわかっていて、それに合わせた情報だけをゲットして、ろくに考えずにリツイートしたり、コメントしたりしている。そうやってネットの言論空間は、どんどんどんどんどん劣化していってると思うんですよ。

でも僕、インターネットって本来「自分の速度で情報に接することができる」ものだと思う。そこがいいところだと思っているので、もうちょっとゆっくり立ち止まって、遅く接することができるインターネットメディアとか、そういったことをやってみたいなってずっと思っているんですよ。

もっと「遅いインターネット」が、いまの時代に必要なんだと思っています。

落合　思っていることがふたつあって。「インターネット」という人と機械が接続されたメディア装置の上にアプリケーションとして、たとえばお金が乗ったりとか、映像が乗ったり、テレビが乗ったり、といろいろなものが乗ってきました。現在のインターネットのコンテンツは制作費がそれほどかかっていないものも多いですよね。しかし、たとえば「ネットフリックス」が莫大な制作費をかけ、力を入れて制作するもののクオリティーは、いま以上に高くなるのではないでしょうか。その影響にさらされたときに、我々の享受するコンテンツはどうなるのかというのがひとつ。

あともうひとつ、誰もが発信者になれるというのは、スマホというインフラが整ったからですよね。コンテンツを制作して公開するコストがとても低くなったんです。動画を作ってもいいし、出版をしてもいいし、何をやってもいい。それが電子書籍で読めたり、ユーチューブで見られたりするので、その部分のコストも低くなっている。そうやって生き方とインターネットがくっついてくると、そこに我々の「自然観」そのものが入るわけですね。

「生まれて、働いて、そのまま会社に属して」という、多くの人が考えてきたことはこれから全く違う生き方になっていくでしょう。おそらくそれが新しい「普通」になっていったときに、ここまでまとめてきたようなことは、とても懐かしいような気分で見られるんだろうなと思いますね。「あの時代は、そんな重たい装置で、まだみんな社会のことを、人の顔色をうかがいながら生きていたのか」なんて言われる時代がきっと来るんだろうなと思いつつ、さらに進化させていきたいなと思います。

堀江 落合さんが言ったようにライフスタイルはすごく変化していく。いま会社にいる人たちがやっている仕事の9割以上は、すでにいまの時点でいらないんですよ。いらないのに、みんな「プレイ」のように「いるよね？ 俺たちの仕事。いるよね？」みたいな感じで仕事している。

本当にそうですよ。僕、見ていて滑稽ですもん。たまに大企業の会議とか行くと、30人とかいるんですよ。僕ら2人なのに。28人くらいは何もしてないんですよ。いまだに「昭和が動いている」みたいな感じなんですけど、いまはまだ蓄積があって、資産があって、その人たちを飼えている部分があるんだけど、飼えなくなって「いらないよ」って言われたら、定年後のサラリーパーソンが何千万人という単位で出てくるはずです。その人たちが生きがいを見つけて楽しく生きられるような社会を作るための実験を、僕はオンラインサロンとかいろんなものを通じて、いまやっています。

「シェアリングエコノミー」や「お金のいらない社会」「評価経済社会」……そう

いうものが否応なしにみんなの生活に入ってくるので、それに適応しないといけない。僕は適応できると思うので別にいいんですけど、社会が適応しないと不安定になってしまうので。不安定になると絶対僕も損するので、不安定にならないようにするためにはどうしたらいいのかということを考えて実践していますね。

おわりに

『平成ネット史（仮）』で取材してきたインターネットの世界。今後、つながるものが「情報」から「モノ」へと拡大していく動きが活発になると、私たちの世界はどう変わっていくのでしょうか。

それを一言で表現すると、世界中に「情報革命」をもたらしたインターネットが、いよいよ本格的に「産業革命」を起こすのではないか、ということです。

これまで、ネットの「主役」を担ってきたのは、ネット上にアップロードされたあらゆる情報でした。これらは、通信回線の速度が上がるにつれて、データ量の軽い文章を皮切りに、画像、写真、音声、動画といった順で次々とネット上に登場します。こうした情報を使って、人々が検索したり、視聴したり、購買した履歴データや、画像・言語を分析したデータをうまく集めた企業が多様なサービスを生み出し、爆発的な成功を収めてきました。

その代表格が「ＧＡＦＡ」と称されるアメリカのテクノロジー企業、「グーグル」「アマゾン」「フェイスブック」「アップル」と、「ＢＡＴＨ」と称される中国のテクノロジー企業「バイドゥ」「アリババ」「テンセント」「ファーウェイ」です。

ウェブ上のデータを握る企業が、商品やサービスを集めた「プラットフォーム」を作り、そこに参加する企業「サードパーティ」が集まるという仕組みを作り、存在を強大化させてきたわけです。これらの企業が世界中の情報を握っていることから「グーグル帝国」「アマゾン帝国」「フェイスブック帝国」と表現される理由がここにあります。

令和に突入して、この「プラットフォーム」に中国の「TikTok」やアメリカの人気オンライン戦闘ゲーム「フォートナイト」が加わってきているようにも思います。新たな情報帝国が続々と誕生しているのです。日本でも、こうした米中のＩＴ巨人企業への危機感から、「ヤフー」と「ＬＩＮＥ」が経営統合し、日本最大級のインターネット企業が誕生するという動きに発展しています。

ところが、つながるものが「情報」から「モノ」へと拡大していくと、情報産業だけでなく、製造業・農業・土木・都市といったすべての産業が持つデータが、インターネット上にアップロードされることになります。

たとえば、街でいうと、ファッション・小売・外食・レジャー・観光・交通サービス。家でいえば、家電・照明・ＡＶ機器・洗濯機・冷蔵庫・住宅設備機器といったもの。さらに、車では、自動車部品やカーナビ。健康医療では、ヘルスケア機器・医療サービス・医薬品といった私たちの生活に関わる、ありとあらゆるものが挙げられます。いわば、「リアルな世界のネット化」が起きるわけです。

さらに、これらのモノやサービスを利用したり、それを使って行動したり、活動した履歴が、すべてデータ化され、分析される時代が来るのです。

ガートナー社の調査によると、平成26年（２０１４年）には、すでにインターネット人口と、ほぼ同じ約37億個の「モノ」がインターネットにつながっており、これには家電製品、自動車、工場のロボットなど多種多様なモノが含まれているとされています。その数は、今後加速度的に増え続け、令和２年（２０２０年）には４００億個に増えると予測されています。

今後、インターネットで情報をやり取りする主体は「人」ではなく、「モノ」になる。だから、ＩｏＴ（Internet of Things）とか、ＩｏＥ（Internet of Everything）と呼ばれる言葉が登場しているわけです。

「情報革命」から「産業革命」を起こす存在になるインターネット。その存在感は、『平成ネット史（仮）』でも繙（ひもと）いてきたように、回線の速度が上がるときに劇的に増すという歴史がありました。その歴史に沿って考えると、令和２年（２０２０年）から日本でも始まる「５Ｇ」の存在が大きな鍵になるかもしれません。

５Ｇの通信速度は４Ｇの１００倍、通信容量は４Ｇの１０００倍だといわれています。

よく「2時間の映画を3秒でダウンロードできる」とたとえられ、これまでとは異なる回線速度だというイメージが、皆さんの中にはあるかもしれません。

しかし、5Gの真骨頂は、それではありません。森永真弓さんは、5G時代の到来をわかりやすくたとえるものとして、現在開発が急ピッチで進められている自動車の「自動運転」を挙げてくれました。

自動運転は、遠隔地から自動車の速度や方向を制御します。そのとき、車に「止まってほしい!」と指示を送信する場合、現在の4Gと5Gでは格段の違いが発生するというのです。

たとえば、時速60㎞で走行中の車に停止指示を送信した場合、4Gだと車が指示を受信するのに1秒程度のタイムラグが発生してしまい、車が実際に停止するまでに約16・7mも進行してしまうのですが、5Gだと、それをなんと約1・7㎝の進行に抑えることができるというのです。

こうした進化は、自動運転だけでなく、別の場所から診療や手術をすることが想定される遠隔医療といった分野にも、とても重要なことになってきます。

インターネットが「情報革命」から「産業革命」に拡大しようとする中で、もうひとつ大きな変化があります。それは、データの種類が大きく変わることです。

これまで「情報」の世界では、データのほとんどが「言語」系でしたが、情報以外の産業に拡大していくと、データの種類が、モノの電源を入れたり、切ったりしたことや、モノをどこで、どのように使ったかといったような「行動」系のデータに変わるというのです。

この行動系のデータの活用に、「ものづくり日本」の復活への勝ち筋があると考えているのが、経済学者で大阪大学准教授の安田洋祐さんです。

安田さんは、これまで「情報革命」の中で、世界中のデータを独占してきたといわれる「GAFA」や「BATH」といえども、こうした行動系のデータはまだ収集しきれていない。つまり、誰でも、勝利を摑むチャンスがあるという状況だと語ります。

さらに、行動系のデータを活用する場合、自動車の自動運転や、農業や医療現場でのロボットなどに代表されるように、データと製品を連動させる必要があるため、これまで以上に安全性が重要視されると、安田さんは指摘します。

インターネットがこれまで革命を起こしてきた「情報」の世界で、最も重要とされていたのは「利便性」でした。利用する人々に、いかに早く、いかに好みにあった情報を提示できるかといったことが追求されてきました。

ところが、情報以外の産業となると、製品がいかに正常に動き、いかにトラブルなく、不良品を作らないかが重要になってきます。製品との連動による「安全性」が最も重要な価値になってくるというのです。

その分野において、日本企業の信頼性は、極めて高い水準にあると安田さんは考えています。日本のある企業では、品質管理を徹底していることから「絶対に事故を起こさない」というレベルまで、安全基準をクリアしなければ、いくら製品が完成されていても、市場には出さないとまでいわれます。

建設・農業・工場・医療など、ロボットとの連動が求められる現場では、いかにロボットが安全に動き、使う人に安心感を与えることができるかが、重要になってきます。

情報通信の世界だけでなく、今後はすべての産業がデジタル化されると経済規模は莫大になります。日本だけで考えてみても、平成28年（２０１６年）の情報通信の市場規模は94・４兆円ですが、これは、全産業の９・６％でしかありません。これの10倍以上となる全産業の規模をインターネットが狙おうとしているのです。

そうなると、これまでのように開発のスピードを重視し「ベータ版」を出し、改良を重ねていくという手法ではなく、製品が安全に動き、完全に完成された形で、製品を出すという「安全がすべてに優先する」開発手法をとる日本企業の文化が、ここに来て、再び世界の潮流になるのではないか、ということなのです。

日本企業の時価総額は、平成元年（１９８９年）には、世界トップ10にＮＴＴや日本興業銀行など7社がランクインしており、経済大国を象徴する存在感を発揮していました。

ところが令和元年（２０１９年）には、その数が0社になってしまいます。番組が伝えた「平成ネット史」の30年間に、インターネットによる「情報革命」の波を捉え、新たなビジネスモデルを構築したアップルやアマゾン、アルファベット（グーグルグループの持ち株会社）やテンセント、アリババに抜き去られたのです。しかも、日本企業はトップ10落ちしただけでなく、トップ50にもトヨタ自動車の１社しか入っていない現状です。

この30年間に後塵を拝した日本企業が、次の30年で「倍返し」といった大逆転ができるかどうかは、インターネットの「産業革命」をしっかりと捉えられるかどうかにかかっています。

そう考えると、令和2年（２０２０年）1月、トヨタ自動車の豊田章男社長がデジタル技術の見本市「ＣＥＳ」に登壇し、20年末に閉鎖予定の東富士工場（静岡県裾野市）の跡地を〝未来都市〟に変えると発表したことは、この流れを汲む大きな動きのひとつだと捉えることができるはずです。

インターネットによって「情報」がデジタル化され、ＳＮＳが「人々」のつながりをデジタル化してきたように、世の中のほとんどがデータ化され、それをＡＩや５Ｇを駆使して、超高速に分析・検索できるような新しい世界が来ることを、雑誌「WIRED」の創刊編集長のケヴィン・ケリーさんは、次のように語っています。

〈インターネット〉の次に来るものは〈ミラーワールド〉だ——。現実の都市や社会のすべてが1対1でデジタル化された鏡像世界＝ミラーワールドは、ウェブ、SNSに続く、第三の巨大デジタルプラットフォームとなる。世界がさまざまな手法によってスキャンされ、デジタル化され、アルゴリズム化されていく過程に生まれるミラーワールドへと、人類はダイヴしていく。

「WIRED」日本版VOL．33より

もし今後、リアルとデジタルがまさに、鏡合わせとなる「ミラーワールド」に突入するとしたら、それはどんな世界でしょうか。それは、映画『サマーウォーズ』が描いた現実とバーチャルの「二重の生活」ではなく、Google Glassが実現させたような、現実にバーチャルが混ざった「中間的な生活」でもなく、もしかしたら、全く新しい生活、全く新しい世界なのかもしれません。

平成から令和へ。テクノロジーの進化はさらに加速していきます。この流れは不可逆で、誰にも止めることはできません。

平成に進化し、私たちに広まったインターネットは、誰もが情報を気軽に入手し、発信し、共有できる素晴らしい革命をもたらしました。しかし、その発展とともに、フェイクニュースやヘイトスピーチの温床になっていることや、新たな監視社会の誕生ではないか、といったインターネットに対する悲観論が広がっていることも事実です。

インターネットが描く未来の世界は、ユートピアか、それとも、ディストピアか。

そんな、功罪入り交じった「アンビバレント」な存在であるインターネットの、どの面を見て、どの面を伸ばしていくかは、インターネットの歴史を現在進行形で作り上げている皆さんに委ねられています。

そうです。『平成ネット史（仮）』を皆さんと一緒に作り上げたように。

あとがき

もしもいま、インターネットがなかったら――。

コロナ禍の私たちの生活は、一体どうなっていたでしょうか。

テレワークもＺｏｏｍ会議も、オンライン授業もできなければ、ネットショッピングも使えない。離れた家族や友達とＬＩＮＥでやり取りしたり、ツイッターで不安や希望を共有したり、ユーチューブやネットフリックスで息抜きをすることもできません。何より、日々変わり続ける感染状況や医療情報を、手のひらの中で逐一知ることもできないのです。

『平成ネット史（仮）』の取材に奔走していた、平成30年（２０１８年）の夏から、早2年半。令和2年（２０２０年）が終わろうとするいま、自宅でこの原稿と向き合っている私は、その頃全く想像していなかった未来を生きています。振り返ると2年前の私たちは、次なるネット革命が起こるのは、東京オリンピック・パラリンピックが開催されるはずだった今年の夏だと、疑うことなく信じていました。まさか、その《２０２０

ネット革命》が、当時の想像とは全く違う形で実現されようとは……。阪神・淡路大震災しかり、東日本大震災しかり、抗うことができない天災や疫病に対峙したとき、技術の進化や、新たなサービスの登場、それに伴う人々の暮らしや文化、思考、行動の変化が一気に加速することを、いま一度身にしみて感じます。

思いがけないスタートダッシュがかかった「令和ネット史」ですが、まだまだ始まったばかり。ここから、ウィズコロナの時代ならではのさらなる技術やサービスが続々と生み出され、私たちの生活は変化していくはずです。自宅の部屋が、ボタンひとつでオフィスや実家のリビング、スタジアムに変化し、目の前にいる人と普通に会話したり、ハイタッチしたりできる。そんな未来も遠くないかもしれません。

ところで、「日本のインターネットの歴史を振り返る番組を作ろう！」という、この一連の番組企画が立ち上がったのは、ちょうど『ポケモンＧＯ』や『ＰＰＡＰ』が大フィーバーしていた、平成28年（２０１６年）のことでした。ウィンドウズ95の登場から20年が過ぎたタイミングで、目まぐるしく変化を続けるネットの歴史を、いったん立ち止まって振り返ってみたいと思ったのです。

それから3年。インターネット進化の時代であった「平成」が幕を下ろすことになり、この機会を逃すまいと、『平成ネット史（仮）』の一連のプロジェクトを急ピッチで立ち上げることになりました。

しかし、「ネット史を振り返る」と一言でいっても、その捉え方は人それぞれ。アラサー世代の私と、アラフォー世代の上司とでは、思い入れのあるネット文化が全く違ったりもする。そこで、ツイッターを使って視聴者の皆さんから、広く「#平成ネット史」を募り、寄せられた声をもとにネット史を振り返ることになりました。

とはいえ、日本のネット史を作り上げてきた要素は本当に膨大。番組や本書の中に取り上げるのを泣く泣く諦めたものも多くあります（個人的には「ドリームキャスト」というゲーム機でネットと出会ったので、せめて番組セットの中にドリキャスを置いてもらえばよかったと、後悔したりしています）。

番組を作る上でもうひとつ大変だったのが、「権利」の問題です。紹介したいホームページや動画があっても、権利者の許諾が得られないと使用することができません（※ＮＨＫなんで（´・ω・｀）ｷﾘｯ）。そこでも、ツイッターには本当に助けられました。実は、２ちゃんねる閉鎖危機でインタビューをさせていただいた戀塚昭彦さんは、番組公式ツイッターにリプライをくださり、取材が実現したひとり。番組のオープニング曲として使わせていただいた楽曲『Party 4U』の作曲家であるＣｒａｎｋｙさんにも、ＤＭを通じて使用許諾をいただきました。消息がわからないＦＬＡＳＨ職人さんに関する情報を、フォロワーさんたちが寄せてくださったこともありました。

こうして考えると、『平成ネット史（仮）』は、ＳＮＳ時代のいまだからこそ制作することができたのかもしれません。

そして、番組のオンエア終了後。ツイッター上には驚きの光景が広がっていました。深夜にもかかわらず、視聴者の皆さんによる、それぞれの「＃平成ネット史」を語るツイートが、追いきれないほど次から次へとタイムラインに流れ続けていたのです。明け方まで皆さんのツイートを一つひとつ読みながら、平成ネット史とは、私たち一人ひとりが作り上げてきた歴史なのだと、改めて実感しました。

また、その現象は放送後に開催した番組連動イベント「平成ネット史（仮）展」の会場でも同様でした。あの日あのとき、ネット上で同じ時間を共有していたかもしれない初めましての皆さんと、時空を超えて最高のオフ会ができたと思います。お客さん、スタッフ含め、会場には「インターネットへの愛（とカオス）」しかありませんでした。

会場で、お客さんの声に耳を傾けていると、こんな声が聞こえてきました。「私たち、本当にすごい時代を生きてきたんだね」、と。本当に、そう思います。そして、これからの時代を形作っていくのも、私たち自身なのです。

ここで、本書「はじめに」の「歴史上の人物」の言葉に立ち返りたいと思います。これからのインターネットとどう付き合っていけばいいか。皆さん、覚えていますか？

実は、ｉモード生みの親の夏野剛さんに取材させていただいた際も、この質問に対して、全く同じ答えを語っておられました。

「なんでも食わず嫌いせずに、まずやってみること――」

現金からキャッシュレスへ。電車通勤からテレワークへ。リアルからＶＲへ。変化に対応することは、労力がかかります。勇気も、必要かもしれません。

でも、こんな時代に生まれたからこそ、技術やサービスの進化を楽しみ、一人ひとりが自由に取捨選択して使いこなしていくことが、豊かな「令和ネット史」を作り上げていくのではないでしょうか。そしてまた、本書を通し「平成ネット史」から何らかの教訓を得て、これからの時代に生かしていただけたなら、なお幸いです。

最後になりましたが、『平成ネット史』に関わってくださったすべての皆様に、心より御礼申し上げます。そしていつか、『令和ネット史（仮）』でお会いしましょう。

令和３年（２０２１年）３月

ＮＨＫ『平成ネット史（仮）』取材班を代表して
ディレクター　角田知慧理

平成ネット史(仮)スタッフ

※肩書き、所属は番組放送当時のものです。

■平成ネット史(仮)

【平成31年(2019年)1月2日・3日　NHK Eテレで放送】

司会　恵俊彰(タレント)、是永千恵アナウンサー

出演　堀江貴文(実業家)
宇野常寛(評論家/PLANETS編集長)
落合陽一(筑波大学准教授/ピクシーダストテクノロジーズCEO)
森永真弓(博報堂DYメディアパートナーズ)
ヒャダイン(音楽クリエイター)
池田美優(タレント)
眞鍋かをり(タレント)

声の出演　緒方恵美、梶裕貴

制作スタッフ

技術　兼目智司
撮影　山田健吾
照明　鈴木幸次
音声　奥村玲子
映像技術　花山明
番組ツイッター　大海寛嗣
番組HP　角田直美

映像デザイン　山本享二
編集　寺嶋一也　大森晋
音響効果　井貝信太郎
FD　濱野英典
取材　大嶋智博　平岡秀章
ディレクター　角田知慧理　正垣晶博　矢部友貞
制作統括　千代木太郎　中根健　神原一光

■ラジオで平成ネット史（仮）

【平成31年（2019年）3月21日　NHKラジオ第一で生放送】

司会　吉田尚記（ニッポン放送アナウンサー）、是永千恵アナウンサー
出演　緒方恵美（声優）
健（テキストサイト「侍魂」管理人）
川島優志（Niantic, Inc.）
森永真弓（博報堂DYメディアパートナーズ）

制作スタッフ

技術　上田健太
送出　松本慶子　橋本美規
番組ツイッター　大海寛嗣
音響効果　大塚眞司
ディレクター　大嶋智博　角田知慧理
制作統括　石井直人　千代木太郎

■改元特別番組

「ゆく時代くる時代～平成最後の日スペシャル～　懐かしの平成ガジェット鑑定ショー」

【平成31年（2019年）4月30日　NHK総合テレビで生放送】

司会　ヒャダイン（音楽プロデューサー）、牛田茉友アナウンサー

出演　関根勤（タレント）
眞鍋かをり（タレント）
IMALU（タレント）
遠藤諭（編集者）
タージン（タレント）

会場リポート　緒方恵美

天の声

制作スタッフ

技術　湯浅公弘
撮影　高岡英幸
照明　山内重人
音声　阿部眞理
映像技術　中元将人
番組ツイッター　大海寛嗣
映像デザイン　宮嶋有樹
音響効果　西原長治
取材　大嶋智博
ディレクター　正垣晶博　柳翔太郎　蓼原大介
制作統括　中根健　千代木太郎　神原一光

■平成ネット史（仮）展

東京【平成31年（２０１９年）1月11日～14日　渋谷ヒカリエホールAホワイエで開催】
大阪【平成31年（２０１９年）4月27日～30日　ＮＨＫ大阪放送局アトリウムで開催】

●トークイベント出演

・東京開催「平成ネット夜話」

「インターネットもう少しスピードダウンしませんか？」

宇野常寛（評論家／ＰＬＡＮＥＴＳ編集長）、箕輪厚介（幻冬舎）

「あなたの平成ネット史なつかしガジェット鑑定ショー」

林雄司（デイリーポータルZ）、島徹（ケータイのアレ）

「インターネット女子会（仮）」

森永真弓、べつやくれい（デイリーポータルZ）、大久保一布（if→itself）

「よみがえれテキストサイト」

ヨッピー（ライター）、健（侍魂）、兄貴（98式）（兄貴の館）、みやもと春九堂（じーらぼ！）、ワタナベ（ろじっくぱらだいす）

・大阪開催「平成最後のネット話」

「嘘を嘘であると見抜けない人は使うのが難しい⁉」

ＵＫ（虚構新聞社社主）、足立義則（ＮＨＫ報道局記者）

「大阪ツイッター　中の人サミット」

シャープ（@SHARP_JP）、パインアメ（@pain_ame）

「明日から令和　どうなるネットの未来地図」
川島優志（Niantic Inc.）、遠藤諭（角川アスキー総合研究所）

イベントスタッフ

クリエイティブディレクター　須田和博
プランナー　江口貴博　水本隆朗
コピー　櫛田峻裕
デザイン　細川剛
システム　尾小山良哉　熊谷秀太　鯨岡翔
運営　永田創一郎　野村直佑（東京・大阪）
イベントツイッター　大海寛嗣
取材　大嶋智博
プロデューサー　石川昌孝（東京）　羽山尚（大阪）
制作統括　森田智樹　桑野太郎　品川和彦　神原一光（東京）
中根健　野村利孝　齋藤遼太郎（大阪）

■『平成ネット史（仮）』　参考文献・ホームページ（順不同）

村井純　『インターネット』　岩波新書　平成7年（1995年）
夏野剛　『iモード・ストラテジー　世界はなぜ追いつけないか』　日経BP企画　平成12年（2000年）
松永真理　『iモード事件』　角川書店　平成12年（2000年）
糸井重里　『インターネット的』　PHP新書　平成13年（2001年）
井上トシユキ＋神宮前.org『2ちゃんねる宣言　挑発するメディア』　文藝春秋　平成13年（2001年）
中野独人　『電車男』　新潮社　平成16年（2004年）
ばるぼら　『教科書には載らないニッポンのインターネットの歴史教科書』　翔泳社　平成17年（2005年）
宇野常寛　『日本文化の論点』　ちくま新書　平成25年（2013年）
小熊英二編著　『平成史【増補新版】』　河出書房新社　平成26年（2014年）
村井純　『角川インターネット講座【1巻】インターネットの基礎』　角川学芸出版　平成26年（2014年）
川上量生　『角川インターネット講座【4巻】ネットが生んだ文化』　角川学芸出版　平成26年（2014年）
本田哲也・田端信太郎　『広告やメディアで人を動かそうとするのは、もうあきらめなさい。』　ディスカヴァー・トゥエンティワン　平成26年（2014年）
ばるぼら・さやわか　『僕たちのインターネット史』　亜紀書房　平成29年（2017年）
総務省　『平成30年版　情報通信白書』　平成30年（2018年）
インターネット白書編集委員会編　『インターネット白書2018』　インプレスR&D　平成30年（2018年）
内田樹編　『街場の平成論』　晶文社　平成31年（2019年）
「WIRED」日本版　VOL.33コンデナスト・ジャパン　令和元年（2019年）

NHK ONLINE「ヒストリー」　https://www.nhk.or.jp/toppage/history/　NHK
インターネット歴史年表　https://www.nic.ad.jp/timeline/　JPNIC（日本ネットワークインフォメーションセンター）
IIJインターネット図鑑　https://www.iij.ad.jp/cm/i_book/　IIJ（インターネットイニシアティブ）
フェイクニュースを防ぐ3カ条　「あなたのための」記事の落とし穴　平成29年（2017年）5月2日
https://withnews.jp/article/f0170502001qq000000000000000G00110701qq000015138A　withnews（朝日新聞社）
浅羽登志也　「インターネットが起こした変革」
https://www.iij.ad.jp/25th/introduction/asaba/index.html　平成29年（2017年）
三膳孝通　「今、インターネットに求められるもの」
https://www.iij.ad.jp/25th/introduction/miyoshi/index.html　平成29年（2017年）
#JCEJ活動日記　2019年3月27日　http://jcej.hatenablog.com/entry/2019/03/27/104845　JCEJ（日本ジャーナリスト教育センター）

◉著者紹介

NHK『平成ネット史（仮）』取材班

平成31年（2019年）1月2・3日にNHK Eテレで放送された『平成ネット史（仮）』は、日本社会に起きたインターネット革命を、当時の貴重な映像や関係者へのインタビューとともに繙いた歴史カルチャー番組。放送前からツイッターを中心に話題を集め、放送中はトレンド1位を含む上位を番組関連ワードが独占。その後、東京・渋谷で開催されたイベントには8000人以上の「ネット世代」が訪れ、急きょ3月にラジオ特番が組まれたほか、元号が令和へと変わる「平成最後の日」に合わせ、大阪で生放送・イベントが再び開催されるなど、ネット・テレビ・ラジオ・イベントを横断した大きな盛り上がりとなった。本書は同番組を書籍化したもの。番組では取り上げることができなかった取材成果も多数盛り込んだ。

◉執筆者紹介

神原一光（かんばら・いっこう）

NHK 2020東京オリンピック・パラリンピック実施本部 副部長。昭和55年（1980年）東京都生まれ。プロローグ、取材コラムを執筆。平成14年（2002年）入局。特番ドキュメンタリーや『トップランナー』『おやすみ日本 眠いいね！』『NHKスペシャル』などを制作し、現職。著書は『辻井伸行 奇跡の音色』（文春文庫）など多数。

角田知慧理（かくだ・ちえり）

NHK制作局 第1制作ユニット 教育・次世代 ディレクター。昭和60年（1985年）生まれ。大阪府出身。本文、エピローグを執筆。平成21年（2009年）入局。特番ドキュメンタリーや『NHKスペシャル 18歳からの質問状』『人体くん』などを制作。現在は『沼にハマってきいてみた』『不可避研究中』など、スマホ世代向けの番組開発を手がけている。

装幀　トサカデザイン（戸倉 巌、小酒保子）
カバーイラスト　たかくらかずき・梅沢和木
編集協力　竹村俊助（ＷＯＲＤＳ）
編集　箕輪厚介（幻冬舎）
山口奈緒子（幻冬舎）
木内旭洋（幻冬舎）

※本書は、平成31年（２０１９年）１月に
ＮＨＫ Ｅテレで放送された『平成ネット史（仮）』と、
番組派生イベント「平成ネット史（仮）展」をもとに、
大幅な加筆修正を行いまとめたものです。

平成ネット史
永遠のベータ版

2021年4月20日　第1刷発行

著者
NHK『平成ネット史(仮)』取材班
発行人
見城 徹
編集人
森下康樹
編集者
箕輪厚介　山口奈緒子　木内旭洋
発行所
株式会社 幻冬舎
〒151-0051 東京都渋谷区千駄ヶ谷4-9-7
電話　03(5411)6211 [編集]
　　　03(5411)6222 [営業]
振替　00120-8-767643
印刷・製本所
中央精版印刷株式会社

検印廃止

ISBN978-4-344-03720-5　C0095
幻冬舎ホームページアドレス
https://www.gentosha.co.jp/

この本に関するご意見・ご感想をメールで
お寄せいただく場合は、
comment@gentosha.co.jpまで。

あなただけの！

平成ネット史 永遠のベータ版

年表

CHRONOLOGICAL TABLE
OF "HEISEI" INTERNET HISTORY 1989−2019

年表サーフィンの楽しみ方

東京・大阪で開催された「平成ネット史（仮）展」では、
あなたのログイン情報に応じて、あなたにぴったりのレスが届くインタラクティブ演出を行いました。
本書では、レイアウトの一部を変更して再録しています。
年表についてのカキコ・写メ・うp大歓迎です。カメラをスタンバっとくのを忘れずに。

※ROMってるみなさんも、やりたくなったら
いつでもログインしてくださいね。

＊この年表の内容は管理人個人の見解であり、所属する組織の公式見解ではありません。

1996
平成8年

1995
平成7年

1989
平成元年

Windows 95 発売

Microsoftのパソコン用オペレーティングシステム（OS）。
それまで日本ではNECのPC-9800シリーズ、富士通の
FM TOWNSシリーズなど各社ごとに規格が異なっていたんだけど、
同じソフトウェアをメーカー問わず使えるようにして、世界標準の
IBM PCを企業や一般家庭に一気に普及させたすごいヤーツ。

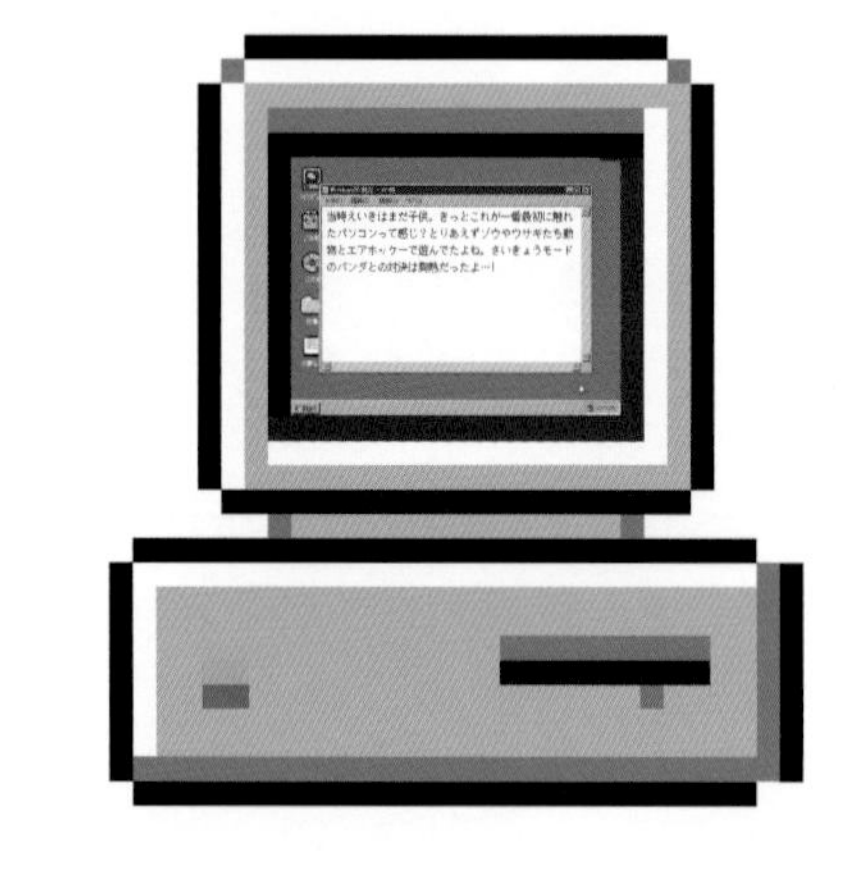

Yahoo! JAPAN サービス開始

ヤフーが運営するさまざまなwebサイトやネットサービスの
玄関口となるポータルサイト。当初はディレクトリ型として
さまざまなホームページをジャンルごとに検索できたし、
ネタじゃなくて本当に「ヤホー」って読んじゃう人も結構いました。
いまだに「ヤッホージャパン」って読んでいるおじさんもいるとか。
もはや愛おしいですね。

初代「ポケットモンスター」発売

任天堂が発売したゲームボーイ用ロールプレイングゲーム。
通信ケーブルを使って異なるバージョン同士で通信をしないと
手に入らないキャラクターがいるっていう仕組み考えた人、
ぐう有能じゃないですか？

1998
平成10年

1997

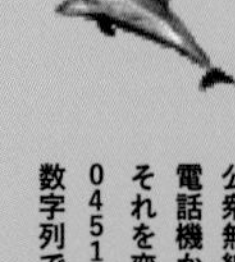

ポケベルの流行がピークに

国内では、NTT、テレメッセージの2社が提供していた公衆無線呼び出しサービスで、正式名称は「ポケットベル」。電話機から数字を入力すると、相手の端末の液晶画面に数字や、それを変換してカタカナや記号を表示できたんだけど、045105110で「お仕事ファイト」、114106で「愛してる」っていう、数字列で愛を確かめ合う時代、いま考えるとハチャメチャにエモくないですか？

カイル君 誕生

Microsoftの「Office 97」に突如現れ、画面上に生息したイルカのカイル君。質問文を入力すると、ヘルプを表示してくれるアシスタントだったけど、「何かご質問は？」って聞くカイル君に、「お前を消す方法」って返すのが流行ってたの、冷静に草。

楽天市場 サービス開始

楽天が運営するECサイト。創業当時、人はインターネットでモノを買わないといわれていました。それが、な、な、なんと！いまECサイトでモノを買う人が増えているんです！ムムッ！ 恐るべき先見の明！ ク〜ッ！

iMac 発売

Apple にスティーブ・ジョブズが復帰し、発表されたパソコン。にしても、スティーブ・ジョブズ半端ないって。でかくて四角くてゴツいイメージだったパソコン界に、丸みを帯びたスケルトンカラー持ち込むもん。そんなんできひんやん、普通。

PostPet 公開

メディアアーティスト・八谷和彦が考案、のちにSo-netから発売された、ペットがメールを配達してくれる設定の電子メールソフト。当時自宅用メールといえば「ポスペ」って感じでしたね。ピンクのクマのモモちゃんがメールを届けにくるのを待っている時間、wktk（ワクテカ）すぎました。

小室哲哉「YOU ARE THE ONE」をリリース

音楽プロデューサー・小室哲哉が「TK presents こねっと」名義で発表したチャリティーシングル。売り上げは、小・中学校へのパソコン普及資金に。安室奈美恵、TRFなど当時の小室ファミリーにもノートパソコンを配って、インターネットを利用するように働きかけていました。ところで、JR山手線の新駅名「高輪ゲートウェイ」が発表されたときに、小室哲哉ファンのみなさんが連想した1996年開設の公式サイト「TK Gateway」だけど、当時東大生だった堀江貴文が制作したって知ってた？

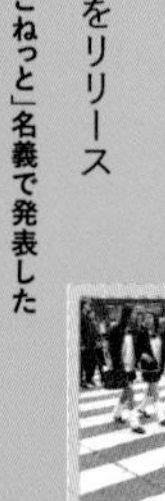

1999
平成11年

ガングロメイク↗↗が流行

日本の若い女性の間で、肌を黒くする「ガングロメイク」が大流行。携帯の裏とか電池パックにプリクラ貼って、ジャラジャラ大量のストラップも付けて、**パラパラ踊って渋谷を闊歩していた**ガングロギャルたちがいまどこで何してるのか、私、気になります。

Windows 98 発売

Microsoftが発売したWindows 95の改良版。「USB」が標準でサポートされ、ごちゃごちゃしていた拡張ボードやフロッピーディスクを消し去って、パソコンを一気にシンプルで使いやすいものとしました。これはホントにあっぱれ!って感じ(誰)

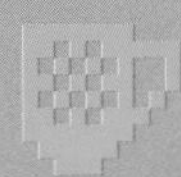

2000
平成12年

iモード

NTTドコモが提供するインターネット接続を含む情報サービス。携帯電話で、メールやインターネットができるようになったからってついつい使い過ぎちゃって、高額なパケット通信料金を請求されちゃうことを「パケ死」って名づけた人、流石に天才じゃないですか？

2ちゃんねる 開設

ひろゆきが開設したさまざまなジャンルを扱う匿名インターネット掲示板。当時は似たような掲示板がいくつかあったけど、とある事件をきっかけに2ちゃんねるに人が集まるようになって、2001年には世界最大級にまで成長したンゴ。おまいらも夜な夜なスレに張り付いてカキコしてたんジャマイカ？

由⊂(´∀`*)>
(´・ω・)ノ█*°*☆
(○・∀・)★.:° +。

（2ちゃんねるから引用）

チェーンメール 横行

「このメールを回さないと不幸になる」など、受信者に別の人への転送を促す文言が記載され、連鎖的に不特定多数の人へ拡散される迷惑メール。

ところで、こんなのがまわってきたので拡散します。「平成ネット史（仮）展の年表がどこまで拡散するのか実験中です。この年表をできるだけ多くのSNSに拡散してください。よろしくお願いします」

（※当時のチェーンメール風に書いてるけど、決して拡散しないでくださいね）

魔法のiらんど サービス開始

ティー・オー・エスが開設した携帯電話向けの無料ホームページ作成サービス。いまや当たり前のことだけど、当時はネットで自分のことを気軽に発信できるなんて超エキサイティングでした。ケータイ小説に触発されて、夜中にいきなりポエム書いちゃったなんて人もいますよね？

Amazon サービス開始

Amazonが運営するECサイト。当時はネットで書籍が買えるオンライン書店として始まったAmazonも、翌年から音楽CDをはじめ、少しずつ品揃えを拡充。いまやどんなものでもポチれてしまう存在に。これはもう物売るっていうレベルじゃねぇぞ！

写メール 登場

J-SH04（J-PHONE）などカメラ付き携帯電話が発売され、撮影した画像を電子メールに添付して送信することを指す「写メール」という言葉が誕生。当時はとても画期的なことだったけど、いまあの頃の写メ見返すと画素数しょぼすぎて草生える。

2001
平成13年

Google 日本語版サービス開始

Googleが運営するweb検索エンジン。いわゆる「Google先生」の誕生。ググれる時代の始まりです。そういえば、年表内にわからない言葉があるときはググってくださいね。

FLASHアニメ 黄金期

アドビシステムズが開発した動画やゲームなどを扱うための規格「Flash」を利用して制作したアニメーション作品が流行。放課後に自宅や学校のPCルームでひたすら見ていた人も多いのでは？ 千葉！ 滋賀！ 佐賀！ イバールルァキィーの人たちなんか特に。

♪着うた サービス開始

携帯電話の着信音を30秒ほどの音声アリ楽曲に設定するサービス。当時は街中にいろいろな着うたが流れていましたが、いまスマホで着うたを設定している人ってあんまり見たことないですよね。たまにバスの中でおじいさんの携帯から着うたが聞こえてくるとホッコリしちゃいます。

○2ちゃんねる閉鎖騒動

利用者の増加に伴いデータ転送量が膨らみ、サーバーを無償提供していた会社が耐えきれず、「2ちゃんねる」を閉鎖するという決断が下された。ほとんどの住人たちが為すすべなく見守るしかなかった中、最後まで諦めずに戦い、見事「2ちゃんねる」を救ってみせた「UNIX板」の住人（有名無名のプログラマー）たちの活躍に全俺が泣いた。

❸「FOMA」サービス開始

NTTドコモの第3世代（3G）方式による携帯電話サービスで、Freedom Of Mobile multimedia Accessの略。データ通信速度が向上して、友達に動画を送ったり、好きな着メロをネットで購入したりできるようになったFOMAは、控えめに言って最先端って感じでしたね。

Control Panel
File Edit View Help

テキストサイト流行

個人が開設するウェブサイトのうち、読み手を意識した日記、コラムなどを書くテキストサイトが流行。中でも、当時大学生だった健が開設した「侍魂」は、中国製のロボット「先行者」をギャグ交じりに紹介したテキスト「最先端ロボット技術」などで人気を集め、1日20万アクセスを獲得するなど大きな話題に。のちのブログブームやYouTuberなどへつながるネット発の人気者になった健、リアルガチでスゴイ！

17 object(s)

Control Panel
File Edit View Help

Windows XP 発売

安心安定の動作で、約10年もの長きにわたって販売され続けた歴代最強のWindows。実はいまもまだ使っている人が多いけど、セキュリティに問題があるからネットにつないじゃダメですよ。ここでひとつ【衝撃の事実】をご紹介。なんと、デスクトップ壁紙のあの草原、本当に実在していました。カリフォルニアのワイン農場の写真のようです。XPファンの人は聖地巡礼してみては？

17 object(s)

2004
平成16年

2003
平成15年

2002
平成14年

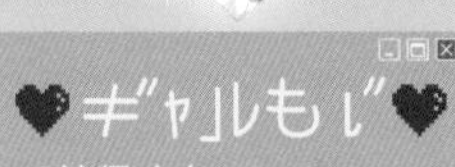

携帯電話のメールなどで、
文字の分解・組み合わせにより
異なる文字を表現する遊びで、
女子中学生・高校生の間で
流行しました。いつの時代も
若い女性の生み出す言葉は
マジ卍ですね。

Winny 公開

日本で開発されたP2P型の
ファイル共有ソフト。匿名性が
高いのが特徴で、さまざまなファイルを
共有できましたが、著作権侵害行為が
蔓延したことでサービスは停止に。
「違法ダウンロードはダメ。ゼッタイ。」
「違法ダウンロードはダメ。ゼッタイ。」
大事なことなので2回言いました。

セカンドライフ サービス開始

Linden Labが運営する3DCGで構成された
インターネット上の仮想世界。ユーザーは好みのアバターとなり、
仮想世界で生活を送ることができる、VRブームの先駆けともいえる
存在で、日本でも大きな話題になりました。
自称VR好きのみなさーん、知ってましたかー?

ブログ全盛期

ユーザーが個人的な体験や日記などを自由に記入、公開するブログが、
「ブログの女王」こと眞鍋かをりを筆頭に、大ブームとなりました。
それにしても、半年後には中川翔子が「新ブログの女王」と呼ばれる
ようになるとか、新女王出現早杉内。

mixi サービス開始

ミクシィが運営するソーシャル・ネットワーキング・サービス(SNS)。
気になる人に勇気を出して送った「マイミク申請」、返してくれるか
勝手にドキドキしていた「足あと」、書いてくれるだけでとっても
嬉しかった「紹介文」、数多のエモがそこにはありました…。

デコ電・デコメ が流行

携帯電話端末をネイルアートの要領でラインストーンを使ってデコる
「デコ電」、メールの文字や背景を着色やアニメーションで
デコる「デコメール(デコメ)」。あの頃はなんでもデコるのが流行って
いました。デコメで「ズットモ♡」とか送り合ってたあの子、
今何してるかな? ちな、デコるっていうのは装飾するってことね。

インターネット博覧会「インパク」開催

日本のインターネットは速度が遅く、
先進国として、ネット普及に力を入れなければ!!
ということで、当時の森首相が「IT革命」を
スローガンに。そのPRを兼ねて、政府は
インターネット上の博覧会「インパク」を
1年通して開催。パビリオンに見立てたさまざまな
ホームページが開設され、糸井重里の「ほぼ日」も
パビリオンのひとつになりました。
当時はいろんな意味でインパクトありましたよね。
インパクだけに。

2005 平成17年

恐怖の黒歴史

前略プロフィール サービス開始

ザッパラスが運営した、自己紹介ページ作成サイトで、元祖SNSのひとつ。主に10代が使用していました。当時の自分のページは黒歴史すぎて見せられないなんて人もいますよね？ それが、2016年にひっそりとサービスを終え、それと共に黒歴史も綺麗に消えてしまったなんて…。くそやられた。

電車男 実写化され大ヒット

匿名インターネット掲示板「2ちゃんねる」への書き込みをもとにした純愛ラブストーリー。タイトルは投稿者のハンドルネームが由来。書籍化・映画化・ドラマ化と、ネット発のヒット現象になっていきました。スレの住人たちが見ず知らずの男の恋路を懸命に応援する、そんなネットを通じて芽生えた友情と愛のストーリー…って何これいい話。

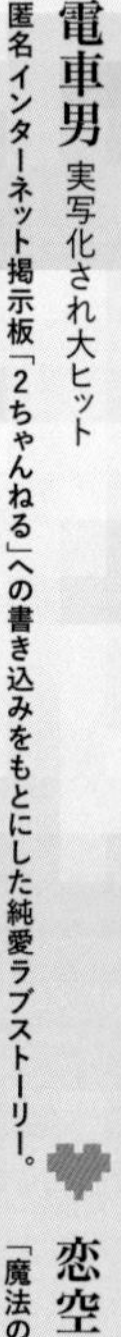

2006 平成18年

ワンセグ サービス開始

地上デジタル放送で行われる、携帯電話などの移動体向けの放送。ワンセグ見るために、ケータイの画面をシャカッて横に曲げたり、アンテナをピンッと伸ばしたりしたの、トランスフォーマーみたいでかっこいいと思うんだけど、わかるやついる？

2007 平成19年

ニコニコ動画 流行

ドワンゴが開発・運営する動画共有サービス。当初はYouTubeの動画に合わせて、動画上にコメントを残すことができるサービスとして始まり、途中から自前の動画共有サイトへ発展しました。コメント機能をフル活用した、もはやアートの域に達するようなコメントでみんなをニコニコさせてくれるコメ職人、スゴスギィ！

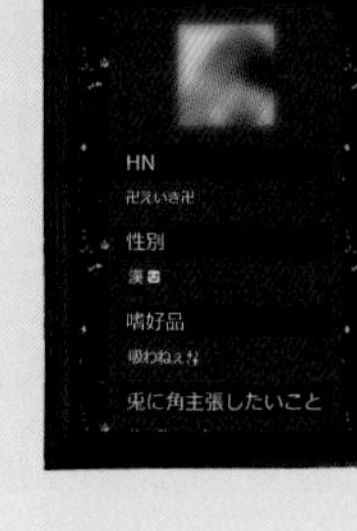

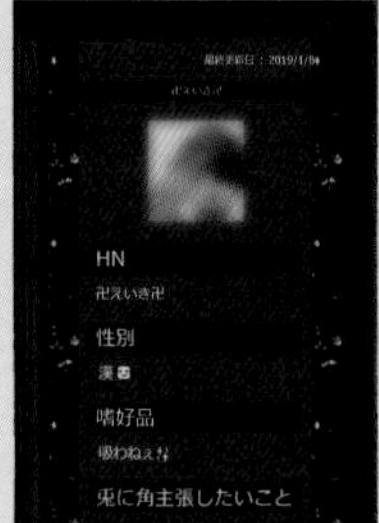

恋空 などケータイ小説の映画大ヒット

「魔法のiらんど」など携帯電話向けのホームページサービスで書かれた「ケータイ小説」が大流行。書籍化、はては映画化される作品が相次ぎました。中でも「恋空」は大ヒット、当時のJC、JKだったら、一回は自分の恋人が病気で死んじゃう妄想したことある説。

初音ミク 登場

クリプトン・フューチャー・メディアから発売されたVOCALOID対応のボーカル音源およびそのキャラクター。初音ミクに代表されるボーカロイドが歌う楽曲を制作する人は「ボカロP」と呼ばれ、そこからメジャーデビューしたミュージシャンも多々いる。バーチャルアイドルの代名詞的な存在でもあり、彼女の歌声に魅せられて、みっくみくにされちゃった人も多いんじゃない？

2008
平成20年

iPhone 日本初上陸

Appleのスマートフォン「iPhone 3G」が日本で初めて販売。
発売当日は多くの人が店頭に列を成し、
お祭り騒ぎのような状態でしたね。最初は様子見していた人も
いましたが、段々とスマホにする人が増えていきました。
「世界的ですもんね、乗るしかない、このビッグウェーブに」
ということでしょう。

2009
平成21年

Android 登場

Googleが発表した、スマホ、
タブレット向けのOS。基本無償で利用でき、
Googleの提供するサービスと連携する
ことから世界中のメーカーが採用し、
現在ではAppleのiOSと二分する存在に。
あなたはAndroid派？ iPhone派？

Twitter
日本語版サービス開始

Twitterの運営する、140字以内の短い文章
を投稿（ツイート）するSNS。ここだけの話、
表垢、裏垢とか複数のアカウント
持っている人が誤爆して修羅ってるの、
めちゃファボってました。

モバイルWi-Fi 登場

移動しながらのインターネット利用を想定した、
小型のWi-Fi機器。外でWi-Fiつなごうとすると
たまに見かけるんだけど、Wi-Fiの表示名を
「毛利 LAN」とか「応仁のLAN」にする人、
センス爆発しすぎでは。

日本の携帯電話は
ユニークな「ガラケー」へ

当時の日本において主流であった、日本市場のみに特化した
（＝ガラパゴス化した）多機能携帯電話（フィーチャーフォン）は、
スマートフォンの普及に伴い、「ガラケー」と呼ばれるように。にしても、
太陽光発電とか、アロマの香りとか、独自の進化すぎて、めっちゃ好き。

「〜なう」が流行

主にTwitter上で多用されたネット表現。
「いま〜をしている」ということを「〜なう」と
つぶやくのがお決まり。
「平成ネット史（仮）展なう」ってつぶやいても
ええんやで（ニッコリ）

Facebook
日本語版サービス開始

Facebookの運営する世界最大のSNS。
実名登録制となっているのが特徴のひとつ。
現在、世界の月間アクティブユーザーは、
なんと22億人。もはや国家を超える
驚異的な存在感を世界中で放っています。
顔本すごE。

2011
平成23年

2010
平成22年

東日本大震災でSNSが活躍

地震発生後、TwitterなどのSNSでは被害状況やライフラインに関する情報などが拡散されました。それ以降、SNSは「電話よりもつながりやすい」「安否確認ができる」「迅速な情報伝達ができる」など、情報伝達の手段としてより幅広く利用されるように。

YouTuber が人気に

独自に制作した動画を「YouTube」上で継続的に配信する人のこと。男子小学生の将来の夢にもランクイン(2017年度 日本FP協会調べ)されるようになったYouTuberだけど、数年前まではその概念すらなかったんだよなぁ。平成の時代の流れはえええええええええ。

Hulu サービス開始

サブスクリプション(月額定額課金)型の動画配信サービス。テレビ局や映画会社が共同設立しているため、映画やドラマ、アニメなどYouTubeの動画共有サイトにはないコンテンツも。こういったサービスのおかげでレンタルビデオ屋に寄らずとも、おうち映画デートができるおいしい時代になりました。リア充爆発しろ!

iPad 日本発売

iPhone に続いて、Apple のタブレット端末「iPad」が日本に上陸。これ以降、パソコン、スマホと並ぶ存在としてタブレット端末が各社から発売されるように。それまでインターネットを利用していなかった高齢者などにもインターネットが広まり、ハイテクおじいちゃんおばあちゃんが増えていくキッカケに。

Instagram サービス開始

Instagram が運営する写真や動画の共有に特化したSNS。通称「インスタ」。この年表を投稿するときは「#平成ネット史 #年表懐かしすぎ #ってか #管理人わかってる」ってな感じでよろ。

2012
平成24年

Vine
サービス開始

Twitterが運営してした「6秒間の動画」に特化した動画共有サービス。

2017年にサービス終了しちゃったけど、「#vine廃止になるらしいので一番すきなやつ貼る」がマジで名作の宝庫。絶対見たほうがいい。

バルス祭り
日本テレビ系「金曜ロードSHOW!」で放送されたアニメ映画「天空の城ラピュタ」のシーンに合わせ、Twitter上で「バルス」とつぶやく人が続出し、秒間ツイート数の世界新記録を樹立。2013年の同作品の放送ではさらに数字を伸ばして、再び世界新記録を叩き出しました。「バルス」もそうだけど、「本田△」とか「大迫半端ないって」とかみんなで同じテレビ放送を見ながらTwitterで実況してるの、一体感がすんごい。

LINE サービス開始
LINEが提供するスタンプを用いたチャットや通話ができるメッセージアプリ。そこでよく見るLINE三銃士を連れてきたよ。既読スルーマン「読むだけっす」、未読スルーマン「読みもしないっす」、スタンプ爆撃マン「スタンプスタンプスタンプス(ry」。

AIアシスタント
開始

AppleのSiriやGoogleのGoogleアシスタントなど、利用者の代わりにタスクやサービスを実行してくれるソフトウェアエージェント。

ついにスマホを声で動かす時代がｷﾀ――――(ﾟ∀ﾟ)――――!!

2015
平成27年

2014
平成26年

2013
平成25年

定額制音楽配信サービス 登場

AWA、LINE MUSIC、Apple Musicなど、定額制の音楽聴き放題サービスが続々登場。CDをレンタルショップで借りる文化は、いまやスマホで楽曲検索に。友だち同士でCDを貸し借りした文化も、いまやプレイリストでシェアに。こんなお手軽な時代に圧倒的感謝っ…!

シェアリングエコノミー

日本でも徐々に浸透しつつある、モノ・サービス・場所などを多くの人で共有利用する仕組み。この年にサービスを開始したAirbnbやUberなどが有名です。インターネットが、すべての産業を「上書き」する時代は近いかもしれませんねぇ。

アイス・バケツ・チャレンジ

筋萎縮性側索硬化症(ALS)の研究支援のため、バケツに入った氷水を頭からかぶるか、またはALS協会に寄付をするソーシャルアクション。世界中で話題になる中、日本でも秋元康からくまモンまで、幅広い面々が果敢にチャレンジし話題に。この年表のことを周知しようと、無理なチャレンジはしないでくださいね。フリじゃないですよ。

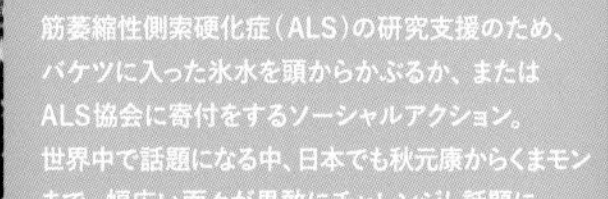

MixChannel サービス開始

Donutsが運営する動画共有SNS。さまざまなジャンルの動画が存在し、リア充カップルたちがキス動画をアップするのが流行していると話題に。若者はこういったLOVE動画を見るとすごくホッコリするとのこと。現場からは以上です。

メルカリ サービス開始

メルカリが運営するフリーマーケットアプリ(フリマアプリ)。個人間取引が加速し、「メルカリ経済圏」という言葉も出る一方で、アプリ上で禁止されている現金の売買をしようと、1万円札で作った「魚のオブジェ」を出品する人も。発想が完全に天才のそれなんだけど、禁止です。ルールは守りましょう。

バカッター

説明しよう! バカッターとは、自身の行った条例違反や迷惑行為をまるで武勇伝かのようにツイートし、その投稿がキッカケで自治体や企業が謝罪したり、営業を停止したりする羽目になるという、あまりにもおバカな一連の事案のことである。アルバイト店員による騒動から「バイトテロ」というパワーワードも生まれました。

スーパーの買い物カゴに入ってしまった人

商品棚に入ってしまった人

勝手に線路に降りてしまった人

飲食店のバイト中にシンクに入ってしまった人

こんな人になってはいけません

2016
平成28年

SNOWが流行
Snowが運営するスマホアプリ。「SNOW」で撮れば「盛れる」と女性を中心に大流行しましたね。

私も流行りの「友達と顔交換」ってやつをしようと思ったら、Tシャツに描かれた偉人と交換されたときは、さすがに草不可避でした。

フェイクニュース 世界的な問題に
アメリカ大統領選での「偽ニュース蔓延」を発端に問題化。事実とは異なる情報がソーシャルメディア上で拡散され、PV稼ぎを目的に「フェイクニュース」を製造する組織もいることが明らかになってきました。メディアは確かな情報を伝えること、ユーザーは確かな情報を見抜くこと、この双方が改めて求められる時代に。

SNSうつが話題に
友人が充実した日々を送っている姿をSNSで知ってなぜか落ち込んでしまうことありますよね、わかります。「中学の同級生が結婚」「高校の同級生が愛する子供とピクニック」「ママ友がタワーマンションに引っ越し」とかどれもいいね!な報告なんだけどね。

VTuberが流行
YouTuberとして動画を配信するバーチャルアイドル、バーチャルYouTuber略して「VTuber」が人気に。実は2019年1月2日、この番組の前編の裏でVTuberたちが自慢の歌を競い合う『NHKバーチャルのど自慢』なんていう胸熱番組が放送されていたのだけど、良い子のみんなはもちろん『平成ネット史(仮)』を見てくれましたよね?

Pokémon GO リリース
スマホ向け位置情報ゲームアプリ「Ingress」を開発したNianticがポケットモンスターの世界観を活かし、ポケモンとの共同開発でサービス開始したゲームアプリ。AR技術を用いて、まるで現実世界にポケモンが現れたかのような体験ができると話題に。小学生からお年寄りまでがスマホを片手に、レアポケモンを集めようと公園に群がる光景は記憶に新しい人も多いはず。

Apple Watch 発売
Appleが発売した腕時計型ウェアラブルコンピューター(スマートウォッチ)。声で動かそうと時計を口元に寄せるポーズ、なんだか変身するときのヒーローみたいで厨二心くすぐられません?

ビットコイン最高値を記録
仲介者なしでユーザー間で直接やり取りされる仮想通貨のひとつ。仮想通貨元年といわれた2017年に、最高値を記録しました。

これによって億万長者になった人もいるらしく、「億り人」なんて言葉も。あー私も5000兆円欲しい!

平成31年 2019　2018 平成30年　2017 平成29年

平成ネット史(仮)
放送

1月2、3日にEテレで、平成最後に激動のネット史を振り返ろうという番組が放送されました。それにしても番組名に(仮)がついたまま放送されたのは笑う。

Tik Tokが流行
ByteDanceが運営する動画共有アプリ。10代を中心に大流行し、「Tik Tok」で人気のダンスを踊れないと学校で人気者になれないという噂もあるとか。にしても、かわいい若い女の子が動画を上げているからって、おじさんユーザーが増えてるって話、草。おじさんも踊りましょうね^^

スマートスピーカー
登場

音声操作対応のAIアシスタント機能を持つスピーカー。声でなんでも操作できる、めんどくさがり屋にとってのゴールデンエイジ到来。ベッドの上から動かないひきこもり生活も捗りそうです。

インスタ映え
が流行語大賞を受賞

インスタにあげると「いいね!」がたくさんもらえる映える写真を指す「インスタ映え」。2017年の流行語大賞を受賞しました。「目線を外してカフェラテを飲む」などインスタ映えには必勝法がある(ｷﾘｯのでで要チェックだ。

IoT・スマート家電ブーム
Internet of Thingsの略。
「モノのインターネット」とも。さまざまなモノや家電がインターネットに接続され、情報交換をすることで互いに制御する仕組みで、これによってよりスマートなライフスタイルが実現可能に。画面越しの留守番中の猫に悶えるなんてこともできるので、全くけしからんわけです。

ポケベル サービス終了へ
公衆無線呼び出しサービスの「ポケットベル」が、2019年9月にサービスを終了すると発表され、約50年の歴史に幕を下ろすことに。平成の世を一緒に駆け抜けてくれて39な。

本当に5963!

#インスタ萎え
フォロワーや「いいね!」獲得のためのインスタ映えに疲弊したユーザーが、あえて映えない写真をインスタに投稿する遊び。去年まで「インスタ映え!インスタ映え!」って言ってたのに、まったく熱い手のひら返しですね。

あなただけの!

平成ネット史 永遠のベータ版

年表

CHRONOLOGICAL TABLE
OF "HEISEI" INTERNET HISTORY 1989－2019

ログアウト